O9-CFT-789

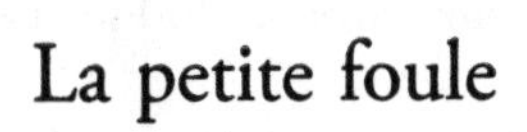
La petite foule

Du même auteur

Une semaine de vacances, Flammarion, 2012 ; J'ai lu, 2013.

Les Petits, Flammarion, 2011 ; J'ai lu, 2012.

Le Marché des amants, Seuil, 2008 ; Points, 2009.

Rendez-vous, Flammarion, 2006 ; Folio, 2008.

Othoniel, Flammarion, 2006.

Une partie du cœur, Stock, 2004 ; Le Livre de poche, 2006.

Les Désaxés, Stock, 2004 ; Le Livre de poche, 2006.

Peau d'âne, Stock, 2003 ; Le Livre de poche, 2005.

Pourquoi le Brésil ?, Stock, 2002 ; Le Livre de poche 2005.

Normalement suivi de *La Peur du lendemain*, Stock, 2001 ; Le Livre de poche, 2003.

Quitter la ville, Stock, 2000 ; Le Livre de poche, 2002.

L'Inceste, Stock, 1999, 2001 ; Le Livre de poche, 2007, 2013.

Sujet Angot, Fayard, 1998 ; Pocket, 2000.

L'Usage de la vie, incluant *Corps plongés dans un liquide*, *Même si*, *Nouvelle vague*, Fayard, 1998.

Les Autres, Fayard, 1997 ; Pocket, 2000, Stock, 2001.

Interview, Fayard, 1995 ; Pocket, 1997.

Léonore, toujours, Gallimard, 1993 ; Fayard, 1997 ; Pocket, 2001 ; Seuil, 2010.

Not to be, Gallimard, 1991 ; Folio, 2000.

Vu du ciel, Gallimard, 1990 ; Folio, 2000.

Christine Angot

La petite foule

Flammarion

ISBN : 978-2-0812-8916-1

« Je rends au public ce qu'il m'a prêté ; j'ai emprunté de lui la manière de cet ouvrage : il est juste que, l'ayant achevé avec toute l'attention pour la vérité dont je suis capable, et qu'il mérite de moi, je lui en fasse la restitution. »

La Bruyère, *Les Caractères*, préface 1694

Le Parisien d'adoption

Il est à la fois complexé et content de lui, tout de suite quand il vous voit, en entrant dans le restaurant où vous avez rendez-vous et où vous l'attendez depuis vingt minutes, il vous sourit, pour signifier à quel point il est heureux de vous retrouver. Vous avez eu le temps de lire votre agenda, d'envoyer des textos, de commander un thé ou une bouteille d'eau. Vous avez examiné la carte, vous savez ce que vous allez manger. Il pose son manteau sur un des cintres qui se trouvent à l'entrée, salue ceux qu'il connaît aux autres tables, avance vers celle où vous êtes installée, tout en maintenant un regard circulaire sur la salle. Puis il commence à tirer sa chaise, pour s'asseoir, face à vous, se retourne, une connaissance vient d'entrer, il s'assoit. La femme passe à côté de votre table et ils se sourient. Il se relève pour lui faire la bise. À très haute voix il lui dit, d'un air admiratif, les yeux grands ouverts : « Tu es belle ! » Ses lèvres semblent ne pas vouloir s'arrêter de sourire. Comme si elles ne pouvaient plus se replier, avaient perdu leur élasticité, ne retrouvaient pas leur forme de base, que ça ne revenait pas, comme un clignotant dont la voiture coincée à un virage n'en finirait pas d'annoncer qu'elle tourne, ses yeux aussi gardent l'aspect de deux petites billes éblouies. Son corps s'est mis de profil, comme pour faire une haie d'honneur à la femme qui rejoint sa table. Puis il se rassoit face à vous. Il rapproche sa chaise. Il vous regarde. Vous n'avez pas bougé. Vous avez suivi des yeux ses déplacements. Dans ses joues, deux fossettes se sont creusées, témoin de son bonheur d'être là. Il a l'air réjoui, amusé, en témoigne l'étirement des lèvres dont le sourire n'est toujours pas fermé, ses yeux sont désormais fixés sur vous. C'est sa façon de vous signaler que vous êtes devenue le centre unique de son attention, que ça sera comme ça pendant toute la durée de ce déjeuner. En dépit des retards dont il est coutumier, il s'excuse rarement, ou arrive en disant qu'il était au téléphone avec tel personnage important, et vous demande si vous avez bien reçu le texto qu'il vous a envoyé où il prévenait qu'il aurait dix minutes de retard, qu'il a largement dépassées. Maintenant, c'est le présent. Il vous regarde. Vous le regardez aussi, les avant-bras posés sur la table, de chaque côté de votre assiette. Il ne vous a encore rien dit vraiment, la conversation n'est pas lancée, il vérifie, le regard un instant tourné vers l'intérieur de lui-même, d'un tapotement de main que son téléphone est bien dans la poche poitrine de sa veste en tweed, « est-ce que mon téléphone est bien dans ma poche, est-ce que je le sentirai vibrer si on m'appelle ? », il plante de nouveau ses yeux dans les vôtres. Et pose ses deux mains sur les vôtres :

— Alors. Comment ça va ?

Entre « alors » et « comment ça va », il a marqué une pause bien nette pendant laquelle son regard n'a pas dévié de vos yeux.

— Ça va ça va. Et toi ?

Il est débordé mais il va bien. Le serveur arrive. Il retire alors ses mains, prend la carte, l'ouvre, y jette un coup d'œil rapide, il la connaît, puis il prend la commande tout en plaisantant avec le serveur. Vous ne vous ennuyez pas. Il a toujours quelque chose à raconter. Souvent ça commence par une observation générale sur la politique française. Il en parle comme s'il en était un observateur doué, particulièrement fin bien que ce ne soit pas son métier, il a des airs de conspirateur qui peuvent faire croire qu'il est dans le secret des dieux, il va vous dire exactement ce qui va se passer dans les prochains mois. Si son analyse ne correspond pas à celle de l'opinion publique, ce n'est pas seulement par esprit de contradiction. C'est parce qu'il regarde certains signes précis avec une loupe, ceux qui le renseignent sur les chances qu'il a de voir se concrétiser le but qu'il poursuit, et qui annoncent ce qu'il voudrait voir advenir, il décrète superficiels ceux qui vont dans le sens contraire. Sur lesquels vous l'interrogez. Tout ce qui le rapproche de l'horizon qu'il vise, et va dans la direction de ce qui l'arrange, la nomination de celui-ci à tel poste clé, l'élection de celui-là à tel mandat, la victoire de tel autre à telle compétition, le départ de celui-ci de telle société, le prochain abandon de poste de tel autre pour des raisons qu'il ne peut pas expliciter un devoir de discrétion semblant l'en empêcher mais qui ne saurait tarder, bref, tout ce qui peut servir le but qu'il s'est fixé. Car il a un but, telle nomination qu'il espère pour lui-même, dont le plan reste inavoué mais tout aussi visible que son nez retroussé au milieu de sa figure tranquille. Ça fait des années qu'il attend son heure, tout ce qui semble le rapprocher de son objectif se trouve sous cette loupe. Avec une précision qui lui fait oublier l'architecture générale de la situation, elle lui permet de décrire l'avancée de points stratégiques, qu'il a déterminés en fonction de sa plus grande facilité à les observer. Son intention est inavouée mais transparente, quand il vous livre une parcelle d'information, car c'est plus fort que lui, il vous assure que vous serez bénéficiaire de son plan quand il aura abouti. Vous serez même une pièce maîtresse du dispositif en train selon lui de se mettre en place. Ainsi il n'est plus seul à se réjouir des avancées sous le verre grossissant, de son succès qui se rapproche. Il le présente comme un instrument dont le dessein serait beaucoup plus grand, mais sans jamais admettre qu'il ne regarde qu'une partie de la carte d'état-major. Il nie que sa lecture des événements soit biaisée par son désir de voir telle finalité triompher, si vous le lui faites remarquer, baigné qu'il est dans sa propre conviction, ça ne le gêne pas, sa concentration sur un seul point rend tout ce qu'il y a autour nébuleux, impropre à l'inquiéter, le demi-sourire dubitatif au coin de vos lèvres le fait même rire. Tout ce qui se trouve en dehors des frontières de sa loupe est frappé de marginalité, c'est passager, négligeable, temporaire, superficiel, voué à disparaître. Si vous lui dites qu'il prend ses désirs pour des réalités, il sourit encore, il n'est pas du genre à se vexer, vous le taquinez, vous plaisantez. Ça ne change rien à ce qu'il voit sous sa loupe, qu'il n'a pas l'intention de faire glisser sur la zone d'à côté :

— Tu verras !

Il le répète :

— Tu verras.

Vous riez. Il vous donne de nouveaux arguments, puis passe à autre chose :

— Comment va ton fils ?

Vous le réorientez sur le travail, vous lui demandez ce qu'il pense de son nouveau directeur. Il s'entend assez bien avec lui, mais estime que celui-ci n'a pas l'envergure pour diriger une grosse boîte. Quand on dirige une entreprise de cette importance, il pense qu'il faut savoir être chaleureux, prendre les gens par l'épaule, leur toucher le bras, les prendre par le cou, ce nouveau directeur ne le fait pas. Il le trouve un peu sec, il pense qu'il ne tiendra pas.

Il est débordé, c'est la première chose qu'il a dite en arrivant, il est un peu fatigué, il a mal au dos, il faut qu'il retourne chez son ostéopathe, le meilleur de Paris, il vous conseille d'y aller, vous dites que vous avez déjà une adresse, il insiste, le sien est exceptionnel, il cherche dans sa poche son carnet d'adresses, il ne l'a pas sur lui, il vous téléphonera dans la soirée, avant son départ le lendemain pour New York.

— Mais tu en viens ?

Il adore cette ville, il songe même à y acheter un petit appartement. La dernière fois, il est allé, ils étaient dix, dans le meilleur restaurant de New York, avec le directeur du MoMA, qui en a eu pour huit mille dolls, dit-il en employant le diminutif de cette monnaie, à la fois pour aller plus vite et par lien affectif.

La retraitée du textile

Elle enlève son tablier en ouvrant la porte, et en voyant la femme qui lui rend visite accompagnée de sa fille, elle fait : « Ahhhhhh », d'une voix soufflée, filée, voilée, comme un souffle qui se prolonge autour d'un timbre haut, comme un cristal fêlé, ahhhhhh, prolongé, elle dit dans la foulée : « J'enlève mon tablier », en tenant la porte pour les laisser passer, et le dénoue en même temps d'une main derrière son dos. Elle les escorte jusqu'à la cuisine, avance des chaises, prend pour elle un tabouret, l'installe près du poêle tout en se plaignant que la femme n'accepte pas autre chose qu'un verre d'eau, elle propose à l'enfant un sirop, et à sa mère des cerises à l'eau-de-vie ou un doigt de porto.

— Non ? Bien vrai ? Oh ? !!!... Sûr ? Vrai ? Oohh !!!... Vrai ?

Elle sort un bocal de cerises, pose sur la table une boîte en fer qui contient un assortiment de biscuits, avec un compartiment par catégorie dont la plupart sont vides, elle s'en excuse en conseillant la petite fille sur ceux qui restent. Pas plus qu'elle en son temps la femme qui lui rend visite n'a fait d'études mais elle s'est hissée socialement, elle a commencé comme dactylo, est devenue secrétaire de direction, a un statut particulier dans leur famille, tous la considèrent comme quelqu'un d'intelligent, elle lit, écoute de la musique classique, s'habille élégamment, mais sa fille de onze ans, dit-elle, qui est là, assise sur une chaise, en train de grignoter un gâteau, la trouve bête. L'ouvrière à la retraite se récrie, n'en croyant pas ses oreilles :

— Vous ? Oh non, sûrement pas alors.

Son cri du cœur marque autant la surprise que le désaccord. Elle se tient droite les mains posées sur les genoux, l'une dans le creux de l'autre, comme deux petits récipients encastrés, deux petites coupelles à l'intérieur l'une de l'autre, deux mains blanches, paume creusée, comme pour être plus faciles à ranger dans un placard, la première à l'intérieur de la deuxième. Elle parle de la vie en usine pour les ouvrières, elle l'a connue, la déconseille. Elle insiste sur le fait qu'elle l'a connue, et que ce n'est pas la direction à prendre. Les genoux rapprochés et serrés, elle regarde la petite fille bien droit dans les yeux, en avançant le buste dans sa direction :

— Tu m'entends dis ? Dis !? Tu m'entends ? Tu m'entends bien ?

— Oui.

— Sûr ? Tu m'entends ? Dis. Jamais l'usine hein. Tu m'entends bien ? Dis. Tu m'entends. Jamais. Tu m'entends ?

— Oui.

— Tu m'entends bien j'espère. Hein ?

Ça fait des années qu'elle a quitté cette usine et qu'elle est en retraite. Elle parle de la dureté du travail comme si elle la ressentait encore, de certaines de ses collègues qui étaient vulgaires, curieuses, méchantes, médisantes...

— Pas ça, tu m'entends. Surtout pas. Tu m'entends ? Jamais. Hein ? Dis ?

Elle les décrit physiquement, elle détaille leur habillement, pour dire leur vulgarité, leur absence de distinction, et leur langage. Dit qu'il fallait s'en méfier, se tenir à l'écart. Bonjour bonsoir. Ne rien leur dire. Faire son travail. Ne rien écouter. Que c'était dur, qu'elles étaient payées à la pièce, elle parle d'une contremaîtresse qui pouvait toute une journée leur faire refaire une même fermeture Éclair parce qu'elle n'était pas bien montée, pour leur apprendre la docilité, alors qu'elles étaient payées à la pièce, le salaire de la journée serait donc la pose de cette fermeture Éclair.

— Il faut bien travailler à l'école. Tu m'entends ? Tu travailles bien dis !? Est-ce que tu travailles bien ?

— Oui.

Elle se souvient du jour où, à quatorze ans, elle est arrivée dans cette usine. Elle se décrit. Elle décrit sa naïveté, sa timidité, sa bêtise, elle parle de sa bêtise de gamine. Insiste encore pour que la petite fille comprenne qu'il faut travailler à l'école.

Une des portes de la cuisine donne dans l'atelier de son mari, à la retraite aussi, il y passe son temps à bricoler, il était menuisier, leur maison se trouve entre les boulevards et la sortie de la ville, l'atelier s'ouvre sur une cour cimentée avec un arbre au milieu, entouré de gravier. Il vient de sortir avec son vélo, en bleu de travail, sa pince à vélo serrée à la cheville sur le pantalon, elle aimerait qu'il s'habille parfois plus élégamment. À la retraite ou pas, il met ses bleus tous les jours. Une deuxième porte donne sur la salle à manger, il y a une cheminée, sa parure, un chien en bronze, à moins que ce soit un loup, la petite fille le caresse, il y a une horloge à balancier, un canapé, un buffet, une table au milieu, la pièce est tassée, ils ne s'y installent qu'en famille les jours de fête, entre le canapé et la table il y a juste la place de se faufiler. Le reste du temps c'est un lieu de passage entre le couloir et la cuisine, ou la cuisine et la chambre, qui se trouve en enfilade. Personne d'autre que l'ouvrière et son mari n'y entre. C'est une pièce à part, avec un traitement différent, le chauffage y est coupé la journée, quand la porte est ouverte, on voit le parquet qui brille, les meubles astiqués, la coiffeuse, la table de nuit, l'armoire, le bois ciré qui scintille, il y a des patins à l'entrée. Des années plus tard, une seule fois, la visiteuse y entre. L'ouvrière a les yeux fermés, le visage paisible, elle est dans son lit, et on lui a mis une robe.

Les provinciaux

Une fois, ils ont tourné une heure autour de l'Arc de triomphe, en voiture, avec leur plaque immatriculée 36, c'était lui qui conduisait, il n'arrivait pas à sortir de la place de l'Étoile, sa femme pensait qu'ils allaient y passer la nuit, ils font le récit tous les deux en même temps, chacun complète celui de l'autre par un commentaire, un détail sur le point d'être oublié, elle qui fait mine de s'inquiéter encore après toutes ces années, qui raconte, l'air tout aussi affolé que si c'était en train de se passer, qu'elle se disait qu'ils n'allaient peut-être jamais sortir de cette place, qu'ils allaient y passer la nuit si ça continuait, et lui qui garde son sérieux, qui affecte d'avoir du mal à le tenir. Ça fait des années qu'ils en rient, qu'ils se dépeignent à tour de rôle en provinciaux incapables de sortir de leur campagne, que ça fait rire au point de renverser la tête en arrière, d'être sur le point d'en perdre le souffle. Dès qu'il y a une conversation sur la difficulté de vivre dans une grande ville, ou à plus forte raison la difficulté d'y circuler, sans se demander si les personnes présentes connaissent l'histoire, ils la racontent comme un tube qu'on ne se lasse pas d'entendre, une mélodie entêtante qu'on ne peut pas ne pas fredonner, la scène leur revient à l'esprit comme si elle sortait, pimpante, bien repassée, scénario intact, du sac informe de leur mémoire, « la fois où... », les deux personnages, leur voiture de l'époque, la couleur, la marque, la plaque d'immatriculation, le temps qui passait, eux qui tournaient, le film à l'intérieur de leur tête, ils allaient peut-être y passer la nuit, les autres automobilistes qui leur jetaient des regards supérieurs, leurs pensées supposées, leur absence d'étonnement sans doute à la vue de leur plaque minéralogique. Ça fait des années qu'ils font rire tous ceux à qui ils racontent la scène, qui les imaginent en train de tourner en rond dans le flot des voitures autour du monument célèbre en se demandant s'ils vont pouvoir en sortir avant la nuit, et ça les faisait déjà rire eux-mêmes il y a trente ans derrière leur pare-brise, malgré l'inquiétude, qui se mêlait à la situation dont ils percevaient le comique alors même qu'ils étaient en train de la vivre : deux provinciaux, incapables de sortir de leur campagne, en train de tourner sur la place de l'Étoile, dans leur voiture immatriculée dans le Berry, sans réussir à prendre une des rues adjacentes, ni à fendre les cercles concentriques des autres voitures.

La jeune chômeuse

Elle arrive systématiquement deuxième aux concours d'entrée dans les administrations, et quand ils en prennent plusieurs, juste à la limite qui fait qu'elle n'est pas prise. Elle a passé le concours des Impôts, de la Sécurité sociale, celui de la DRAC de sa région, elle a rendez-vous pour un poste dans un hôpital de la côte atlantique, elle marche sur la digue en réfléchissant à son entretien du lendemain, et en se demandant comment ce serait de vivre dans cette petite ville si elle est prise. Le ciel est gris. Mais il y a la mer, l'horizon. Elle retourne à son hôtel. Elle essaye de dormir, et le lendemain matin elle y va. Une femme la reçoit dans un petit bureau qui donne sur des arbres, au bout d'une heure de conversation lui dit qu'elle a des qualités mais qu'il faut qu'elle prenne un peu de bouteille, et lui sourit en la raccompagnant dans le hall. En sortant, elle passe sa main sur son ventre plat dessiné par le haut de sa jupe beige qui s'évase vers le bas, elle remonte à son hôtel par la digue pour aller chercher sa valise, le vent de face plaque le tissu sur ses cuisses.

L'esthéticienne

Les massages se font dans la pénombre, les épilations sous la lumière crue, la cliente est nue sur une table recouverte d'éponge, à l'exception du string en papier blanc que l'esthéticienne vient de lui donner, elle ne fait pas que des épilations, elle est spécialisée en shiatsu et réflexologie plantaire, elle a des clients réguliers, s'en inquiète quand elle n'a plus de nouvelles, tout en étalant la cire de chaque côté du string elle lui dit :

— C'est qu'on s'y attache à ces petites bêtes.

Les cuisses en grenouille, bien écartées, la cliente la félicite pour sa rapidité et sa douceur :

— On voit que vous aimez votre métier. D'ailleurs ça doit être un métier qu'on ne peut pas faire si on ne l'aime pas.

— Aujourd'hui on a du mal à trouver des filles qui veulent travailler, et qui ont une bonne mentalité, pourtant j'en vois défiler.

Elle pose les bandes de sa main légère, en passe une dernière sur les orteils, puis elle met de la crème sur les parties qu'elle vient de faire. La femme se caresse les mollets :

— En tout cas vous êtes rapide.

— On me le dit toujours. On me dit que je suis la Speedy Gonzales de l'épilation, c'est pas parce que j'aime ça au contraire, les épilations j'en fais parce que je suis obligée. Mais c'est pas ce que je préfère, alors je vais vite. Il y a tellement de femmes qui sont sales, vous savez. La dernière fois, j'en ai épilé une... elle avait encore du sperme qui lui coulait.

— Ah bon ? !

— C'est dégoûtant, vous le feriez, ça, vous, de vous présenter à une esthéticienne avec du sperme qui coule ?

— Elles font ça pour bien montrer qu'elles viennent de faire l'amour non ?

— Les femmes sont sales je vous dis.

Le grand cinéaste reconnu dans le monde entier

Il téléphone pour l'inviter à la projection de son dernier film, on entend sa voix pendant toute la durée de celui qui l'a rendu célèbre dans le monde entier, elle la reconnaît, voilée, rocailleuse, directe, pas de circonvolutions, un timbre qui n'est pas lissé, et que l'âge a encore éraillé. Il a quatre-vingts ans, il entend mal, elle parle un peu fort dans le téléphone, ils se connaissent à peine, une fois ils ont déjeuné ensemble. Il lui donne la date, il insiste pour qu'elle la note, lui demande si elle l'a bien notée :

— Vous viendrez ?

— Bien sûr que je viendrai.

— Vous êtes sûre ?

— Bien sûr.

— Vraiment ? Vous viendrez vraiment ?

— Mais oui bien sûr.

Elle l'admire, elle est intimidée comme si au bout du fil il pouvait entendre son cœur qui bat et voir ses yeux écarquillés.

La projection a lieu deux semaines plus tard, elle y va avec son compagnon, habitué ni des cocktails ni des salles de projection, mais qui l'admire lui aussi. Ils arrivent tous les deux dans le cinéma, le grand cinéaste est déjà très entouré, elle s'approche, lui dit bonjour, puis tourne la tête dans la direction de son compagnon pour le lui présenter, le grand cinéaste l'arrête d'un geste de la main :

— Non non ça va, c'est pas la peine, j'ai compris.

Ils s'éloignent, entrent dans la salle pleine d'invités. Ils regardent le film main dans la main. Après la projection, les gens se dirigent vers l'escalier qui conduit à la mezzanine où un pot les attend, tout en félicitant le cinéaste, adossé à la billetterie, entre la salle de projection et l'escalier, il est de nouveau très entouré mais il lui fait signe d'approcher. Il fait même un pas de côté pour s'écarter du petit groupe en train de le féliciter. Elle lui dit qu'elle a beaucoup aimé son film, le remercie. Ça semble lui être égal, il ne répond rien. Il ne dit rien, même pas quelque chose de convenu. Il la regarde, puis de sa voix rocailleuse :

— Appelez-moi, je vous dirai pourquoi je ne vous appelle pas plus souvent.

Elle se demande si lui serait revenu aux oreilles quelque chose d'imprudent qu'elle aurait dit, à quelqu'un, quelque part, qui aurait été mal interprête, détourné de son sens, et qui lui aurait déplu, elle ne voit pas quoi, peut-être quelque chose qui lui aurait été rapporté après avoir été déformé. Connaissant son goût pour la vengeance et sa puissance, elle s'inquiète.

— Vous m'inquiétez ? De quoi vous parlez ? Dites-moi maintenant.

Il approche sa bouche de son oreille, sans aucun effet d'intonation il dit :

— Trop d'attraits !

Sans en dire plus il retourne vers son petit groupe. Elle se dirige vers le couloir au fond duquel se trouvent les toilettes, pour dissimuler son trouble, son étonnement, être seule un instant. Mais son compagnon la suit à grands pas, la hèle, et la rattrape :

— Qu'est-ce qui se passe là ? Dis-moi tout de suite. Qu'est-ce que t'as ? Qu'est-ce qui se passe ? Je sais pas si ce type tu l'admires mais moi en tout cas...

— Il ne se passe rien, qu'est-ce qui te prend ?

— Me prends pas pour un couillon.

— Pourquoi tu dis ça ?

— Arrête de me prendre pour un couillon je te dis.

— Tu veux bien me laisser aller aux toilettes ?

Derrière la porte verrouillée elle respire un grand coup. Puis elle sort. Son compagnon a disparu. Elle finit par l'apercevoir seul dans le hall du bas. Les autres sont en haut. Elle se dirige vers l'escalier qui va à la mezzanine, d'où sort un brouhaha, elle lui fait signe qu'elle monte, elle pointe son index vers le plafond. En haut les invités sont disséminés dans un large espace aux murs blancs, il y a trois grandes tables recouvertes de nappes, avec des petits-fours et des boissons. Un des producteurs du film s'approche, lui présente sa femme, elles se sourient, une femme qui écrit des essais, des biographies, très connue, c'est la première fois qu'elles se saluent, ils sont debout tous les trois dans un cercle pas très serré, chacun avec un verre à la main, en train de dire que le film est magnifique, puis, chacun trouve une raison pour se déplacer, elle s'approche d'un couple qu'elle connaît, discute un peu avec eux, ils grignotent des mini-sandwichs, tout près de l'escalier, à ce moment-là le grand cinéaste débouche en haut des marches. Avec un sourire rusé, et un coup de menton dans sa direction, il fait au couple :

— Elle est belle hein !

L'homme du couple fait « oui oui », un peu gêné. Elle aperçoit alors son compagnon, lui aussi finalement monté à l'étage, dans un coin plus isolé. Accoudé à la rambarde il regarde le hall du bas entièrement vide, tournant le dos à ce qui se passe en haut, les petits groupes, le buffet, etc, il regarde la billetterie fermée, les portes vitrées. Le grand cinéaste rejoint ses producteurs, les gens s'approchent de lui à tour de rôle, les petits groupes qui l'entourent se composent et se décomposent, autour d'un noyau principal, au centre duquel il reste fixe. La femme se dirige vers son ami appuyé à la rambarde.

— On y va ? Je vais dire au revoir et on part ?

— À moins que tu préfères rester, et que moi je parte pour te laisser tranquille ?

— Arrête de dire des bêtises, c'est ridicule, il a quatre-vingts ans !

— Et alors ! Ça existe pas quatre-vingts ans. En tout cas faire ce qu'il vient de faire à quelqu'un comme moi, c'est peut-être quelqu'un que vous admirez tous mais c'est un salaud qui respecte pas les gens.

— Arrête enfin, c'est ridicule. Tu dis n'importe quoi. Bon allez j'y vais, je vais dire au revoir, je reviens.

Elle pivote vers le cercle qui entoure le grand cinéaste, elle ne peut pas interrompre les conversations, même pour dire au revoir et partir, elle reprend un petit-four, attend que ça évolue en jetant des regards pour vérifier où ils en sont, ils sont cinq ou six, pour qu'elle avance il faudrait qu'ils ne soient pas plus de deux ou trois, elle ne peut pas fendre le groupe pour aller jusqu'au grand cinéaste, elle ne peut pas non plus partir sans rien dire, un peu plus loin la femme qui écrit des essais et des biographies saisit un verre, à côté d'elle le directeur d'une chaîne tient une coupe et un sandwich, le mari fait un signe, elle se dirige vers eux, mais le grand cinéaste la voit, il sort de son groupe, marche vers elle qui traverse la salle, et ils se retrouvent tous les deux, au milieu de la grande pièce blanche, à l'écart des tables :

— C'est qui le type qui est avec vous ?

— C'est l'homme avec qui je vis.

— J'ai aucune chance moi par rapport à un type comme ça !

Elle ne dit rien comme une petite fille incapable de manifester ou un accord ou un refus.

— ...

— Je ne savais pas que vous étiez timide.

Elle compose deux ou trois petits sourires, puis elle dit qu'elle va devoir y aller. Lui :

— Appelez-moi, et sachez que si vous m'appelez, ce qui m'intéresse c'est pas de discuter avec vous.

Elle retourne vers son compagnon, et ils partent.

Des mois plus tard, elle recroise le cinéaste, dans le même genre de circonstances avec plein de monde autour.

— Alors quand est-ce qu'on se voit ?

— J'ai été invitée à une émission de radio il paraît que vous y serez.

— Je ne vous parle pas de ça. De toute façon je me suis juré de coucher avec vous avant de mourir, et j'y arriverai. Et contrairement à ce que vous pouvez penser vous ne serez pas déçue.

Elle se tourne vers son ami qui l'attend un peu plus loin et dit qu'elle doit partir.

— De toute façon, ça va j'ai compris que vous aimez les Noirs.

Un mois plus tard, elle le voit dans l'émission dont elle lui avait parlé. À la fin, quand tout le monde est sorti du studio, il se plante devant elle :

— Embrassez-moi.

Elle l'embrasse sur les joues.

— Sur la bouche.

— Non.

— Ça va ça va, j'ai compris !

Les gamines

Elles vont au centre-ville à pied, elles connaissent le chemin, elles le font chaque semaine. Leur mère les emmène au square près du palais de justice, elle marche devant elles, derrière la poussette de leur petit frère. Elles connaissent les rues, les carrefours, elles savent devant quelles maisons elles vont passer, elles les ont déjà vues, regardées et commentées. Elles ont un avis, sur certaines elles ont même des plaisanteries. L'une d'elles a des petits carreaux en mosaïque bleu-vert autour de sa porte d'entrée, qui se trouve dans un renfoncement, son seuil est un peu large, comme un tout petit perron, ces petits carreaux bleu-vert qui luisent autour de la porte leur évoquent une poissonnerie, depuis qu'elles ont vu ce carrelage, chaque fois qu'elles passent devant, elles ne peuvent pas s'empêcher de penser à une poissonnerie, ça les fait rire que des gens habitent une maison dont les carreaux extérieurs pourraient être ceux d'une poissonnerie, non pas d'un endroit où on habite mais où on vend du poisson, et longtemps avant d'arriver au niveau de la maison, elles commencent à rire. Elles savent que plus elles vont approcher de la maison, plus elles vont éclater de rire. À l'approche, elles ont une dramaturgie à respecter. Elles ont une phrase à dire. Elles préparent leur phrase. Elles savent exactement ce qu'elles vont dire quand elles seront devant le petit perron aux petits carreaux bleu et vert qui luisent dans le renfoncement. Mais il y a un moment pour la lâcher. Elles attendent. Pour ne pas gâcher ce moment, en produire l'effet, elles la diront devant la porte. Ni avant ni après. Et le plus fort possible. En criant. En ayant l'impression d'insulter la maisonnée, les gens qui y vivent. Elles savent que ça exaspère leur mère qui marche derrière la poussette de leur petit frère qui vient de naître. Parfois, elles vont même jusqu'à monter les trois marches du petit perron pour dire leur phrase dessus. Le cœur battant et si elles en ont le courage. Quand elles font ça, elles ont peur que la porte s'ouvre et que quelqu'un apparaisse avec un visage sévère. Quand elles osent monter sur le petit perron c'est comme un saut dans le vide. Dire la phrase est déjà audacieux, mais la dire sur le seuil en montant sur le tout petit perron, ça demande de l'audace et de la folie. Elles marchent. Elles se tiennent les côtes depuis cent mètres. Elles ont déjà mal au ventre avant d'arriver devant les petits carreaux bleu-vert. Puis, elles arrivent au niveau de la maison. Et là : elles hurlent la phrase. Et elles rient en hurlant. Leur rire est si fort qu'il étouffe le hurlement. Il prend le dessus, leurs rires sont plus incontrôlables que leurs cris, ils sont impossibles à maîtriser, au moment de crier de toutes leurs forces, elles ne peuvent déjà plus garder leur sérieux depuis un moment, alors toutes les trois en même temps elles crient-rient-hurlent :

— ÇA SENT LE POISSON !!!

Elles en calculaient la projection depuis cent mètres. Les carreaux bleu-vert une fois dépassés, les éclats de rire continuent, mais elles sont libérées. Peu à peu les rires décroissent, elles finissent par se calmer, elles commencent à penser au square. Elles n'aiment pas aller au centre-ville à pied, c'est possible mais c'est long, passer devant cette maison leur fait supporter de marcher dans ces rues ternes sur ces trottoirs étroits, sur lesquels on ne peut pas marcher de front, elles sont obligées de se suivre, elles n'ont le droit ni de sauter ni de courir, elles trouvent leur mère pas marrante.

Dans l'escalier de leur immeuble, elles font des conciliabules, assises sur les marches. Elles disent qu'elles seraient tranquilles si leur mère mourait. Qu'elles préfèrent leur père. Qu'il pourrait se remarier avec leur tante. Dans la rue, parfois elles voient des amoureux s'embrasser. Ça aussi ça les fait rire. Elles les trouvent ridicules, grotesques. Ce qu'elles trouvent beau ce sont les enfants. Sauf la fois où elles ont vu une femme et sa fille et ont dû reconnaître que, exceptionnellement, dans ce cas précis, la mère était plus jolie que la petite fille. Mais pour elles c'était une bizarrerie, un cas d'école, un contre-exemple, une exception seule et unique.

La femme qui pleure

Couchée dans son lit, sur le côté, un bras sous l'oreiller, elle dit à l'homme couché à côté d'elle qu'elle est à bout, et qu'elle voudrait qu'on lui dise « je te comprends ». Qu'on lui dise « ça va aller », qu'on lui dise que c'est normal qu'elle soit dans cet état. Qu'on est là, qu'on est avec elle, qu'on va l'aider. Que vu tout ce qu'elle a supporté c'est tout à fait normal, qu'elle n'a qu'à se reposer, qu'on ne lui en veut pas d'être fatiguée, injuste, énervée. Qu'on lui dise qu'on est là avec elle. Et qu'on ne lui dise pas que puisque c'est comme ça ils vont se séparer, qu'on lui dise au contraire qu'on la comprend. Qu'on l'aime. Qu'on ne lui en veut pas de pleurer. Qu'on la remercie pour tout ce qu'elle a fait jusqu'à aujourd'hui, qu'on comprend qu'elle n'y arrive plus, que c'est momentané, que c'est énorme ce qu'elle fait, qu'on comprend qu'elle soit à bout. Qu'on lui dise de ne pas s'inquiéter. Qu'on sait ce qu'elle ressent. Qu'on l'imagine. Qu'on la prenne dans ses bras, et qu'on se serre contre elle en lui disant que ça va aller. Que la façon dont elle a fait face ces dernières semaines est extraordinaire. Qu'il serait surhumain de ne pas craquer, qu'on est conscient de ce qu'elle vient de traverser, qui s'ajoute à ce qu'elle traverse depuis des années. Depuis si longtemps. Mais qu'on est là, qu'on va l'aider. Et qu'on ne lui dise pas que la seule solution est de se séparer. Elle voudrait qu'on arrête de batailler avec elle. Qu'on lui dise au contraire « je te comprends, c'est une période, ça va passer ». Qu'on l'aide. Qu'on la prenne dans ses bras. Qu'on la soutienne.

Qu'on lui dise qu'on comprend que c'est dur pour elle. Qu'on ne la pense pas égoïste. Qu'on sache qu'elle sait bien que c'est dur pour les autres aussi. Mais qu'on soit conscient de à quel point ça l'est pour elle. Et qu'on le lui dise. Qu'on lui dise qu'on comprend qu'elle ait peur de ne pas y arriver mais lui dise qu'elle va y arriver. Qu'on sait à quel point la situation est objectivement difficile. Mais qu'elle va la surmonter. Qu'elle en a la force même si provisoirement elle ne la trouve pas. Et ne voit pas la solution pour l'instant. Qu'on lui dise qu'on est avec elle quoi qu'il arrive. Qu'on l'aime. Qu'on la remercie d'avoir fait tout ce qu'elle a fait. Ses larmes coulent. Ses larmes coulent, et elle gémit. Elle ne tend même pas son bras pour prendre un kleenex dans la boîte posée sur sa table de nuit. Elle essuie ses joues avec le drap. Puis elle se tait. Elle ne dit plus rien, elle prend la main qui s'avance vers elle, elle la serre.

L'ami providentiel

Il aborde la personne dès qu'il la voit et lui donne tout de suite un repère : il a lu son livre chez tel cinéaste, il a visité son exposition en compagnie de tel personnage qui s'avère un ami commun, s'il ne peut se prévaloir d'aucun lien, il lui dit qu'il l'adore, qu'il a vu son dernier clip, qu'elle est mal entourée, il lui parle avec naturel en s'adressant à l'être humain. Comme s'il avait la capacité, par un don naturel, une proximité entre eux qu'on n'explique pas, immédiate, de la voir comme elle est. Quand il la recroise par hasard dans la rue en compagnie de l'ami commun, il jubile, celui-ci s'étonne : « Je ne savais pas que vous vous connaissiez », « Eh oui, tu ne sais pas tout », répond-il, laconique, il a fait d'une pierre deux coups.

S'il la croise dans le hall d'un théâtre, il la suit. Dès qu'elle fait un pas, même pour aller aux toilettes, il l'arrête, sur son chemin, dans l'escalier, à n'importe quel moment où elle est accessible : « C'est incroyable de vous voir ici aujourd'hui, j'ai rêvé de vous cette nuit. » Halls de théâtre, fête, terrasse de café, rue, si aucune occasion ne se présente, lettre. Il lui écrit que telle personne de référence, dont il parle comme d'un copain, lui a dit « vas-y fonce, c'est une évidence il faut que tu la rencontres », car il a lu tel texte et c'était sa voix qu'il entendait, il ne sait pas pourquoi, n'en a aucune idée, aimerait le lui faire découvrir. Ça marche moins bien par lettre que dans une fête, un hall de théâtre ou dans la rue. Il préfère le contact direct, le sourire, le physique, le regard, le timbre des voix. Quand il écrit, il attend la réponse. Il surveille sa boîte aux lettres. Il regarde son téléphone. Il se demande s'il a trouvé le bon canal, s'il a écrit à la bonne adresse, si à cette date la personne est à Paris, si elle n'est pas en tournage à l'étranger. De comédien à plasticien en passant par toute la gamme il a plusieurs cordes à son arc, ça dépend des occasions, des circonstances, des budgets, des rencontres, il affecte de ne jamais chercher à séduire, reconnaît que ça peut entrer en ligne de compte, il feint l'étonnement, « je lui ai plu ! », son honnêteté le force à en convenir. Ses cibles privilégiées sont la femme plus âgée, son époux, l'homme de pouvoir homosexuel qui vieillit, la starlette populaire dont il est seul à comprendre la profondeur et si elle était mieux entourée le potentiel. À propos d'un garçon avec qui il a eu une histoire, il explique à une actrice un peu has been, qu'il avait abordée dans ces circonstances se prévalant justement de son lien avec lui, qu'il ne le voit plus car il n'avait pas sa simplicité, alors que lui est sincère l'autre ne fréquente les gens qu'en fonction de ce qu'ils peuvent lui apporter. Il n'est pas franc comme il l'est lui mais hypocrite, d'une manière générale, y compris dans la sexualité, ça n'allait pas entre eux à cause de ça. Elle le défend, il lui donne un exemple pour la convaincre, qui s'est déroulé sur un lieu de drague pendant leurs vacances, une plage à l'étranger. Tout à coup, apparaît dans les dunes un garçon splendide, blond, la peau mate, lui et le garçon se regardent, il dit à son ami qu'il va s'absenter derrière les dunes, et il part avec le garçon splendide, quelques minutes. Quand il revient, l'autre fait la gueule. Il redit que cet ex-ami n'assume rien sur aucun plan, qu'il n'est pas franc, qu'il ne faut pas aller dans un lieu de drague si c'est pour rester collés, s'il pensait que dans ces dunes ils allaient rester tous les deux, que lui devait laisser passer l'occasion de coucher avec le garçon splendide, il ne fallait pas y aller, dans tous les domaines y compris professionnel, il le lui répète, c'est quelqu'un d'hypocrite, qui ne s'intéresse qu'à cultiver son réseau, il ajoute que ce n'est pas sa faute si le garçon splendide l'a remarqué lui. L'actrice sourit, lui parle avec affection comme à un enfant terrible, et le gronde gentiment comme une gentille maman. Mais il a un nouvel argument : son ex-ami a des problèmes de peau, des boutons dans le dos, il transpire beaucoup, sa peau est toujours un peu humide, objectivement c'était désagréable, et une dernière preuve : il était jaloux de tel artiste ! Il présente ça comme le pompon, il raconte qu'un jour ils se sont croisés dans la rue tous les trois, et que l'ex-ami s'est figé, alors qu'il aurait pu au moins être courtois, l'artiste en question, lui, le saluait.

Il a été amoureux de cet artiste, qu'il admirait, et qui avait vingt-cinq ans de plus que lui, mais ça n'a pas marché, coups de téléphone, lettres, rendez-vous dans des cafés, et un jour, rendez-vous dans un hôtel, mais là, raconte-t-il, lui n'a pas bandé, l'homme était trop âgé.

L'antiquaire

Quasiment le stylo en l'air, elle hésite. Assise devant une petite écritoire Louis-Philippe dans l'appartement qui se trouve au-dessus de sa boutique, elle rédige une petite annonce pour le journal gratuit de sa ville. Elle ne sait pas si elle met son âge. Ni si elle met femme ou si elle met dame. Elle hésite entre cherche et aimerait ; entre aimerait et rencontrerait. Et entre monsieur et homme. Elle ne sait pas si elle met l'âge de l'homme. Elle accepterait quelqu'un de dix ans de plus qu'elle, elle craint de fermer si elle précise. Elle met « grand », elle est sûre de ne pas vouloir quelqu'un de plus petit qu'elle. Il y a un nombre de mots à respecter, un ton à trouver, c'est la deuxième fois qu'elle rédige une petite annonce, la première fois ça avait marché, elle voulait résoudre son isolement amical, c'est comme ça que s'est constitué il y a quelques mois ce qu'elle appelle « le groupe ».

Une fois par semaine, ils se retrouvent chez elle, ils s'installent dans ses fauteuils de style, au milieu des meubles précieux qui font la navette entre l'étage et la boutique, ils bavardent dans son petit salon, décident ce qu'ils vont faire de leur week-end, restaurant, cinéma, promenade en forêt. Il y a un ingénieur qui travaille dans une usine de détergents, il est originaire de Tunis, il sort avec une fille blonde qui a une peau de bébé, très claire, très fine, les yeux bleus, il y a un employé d'assurance, qui parle cinéma, littérature, musique, qui aime rire y compris de lui-même, il a vingt-sept ans, il est maigrichon, il a un petit zozotement, il a des théories sur tout, ça fait partie de son humour, de sa personnalité, c'est le comique de leur groupe, un pince-sans-rire qui ne quitte jamais son air sérieux et son allure raide, mais dont le regard pétille, ce jour-là, il parle d'une veste en velours bleu marine, il en cherche une, il dit qu'il faut que ce soit un velours lisse, brillant, que le velours bleu marine se porte brillant alors que le velours marron se doit d'être terne, éteint, mystérieux, opaque. Les autres rient car il a décidément une théorie sur tout, c'est très drôle, avec ce ton ironique et faussement coincé qui fait sa personnalité. Puis il fait une plaisanterie sur son ancienne copine, qui avait un postérieur, commence-t-il à dire en mettant des points de suspension avant de poursuivre « … sympathique ! », lâche-t-il, après avoir suspendu son souffle un instant, pendant qu'il cherchait le mot qui correspondait à sa pensée, mais, quand il l'a revue, continue-t-il, des années après et mariée, on aurait dit « une bassine à frites », les autres rient, et l'antiquaire fait un signe de réprobation : « Oh !… Régis ! »

L'invité

En allant chez le couple richissime qui le reçoit dans son hôtel particulier ce soir, il se disait qu'il y aurait une démesure en proportion de leur argent, quand il est arrivé, il a vu une grosse maison, qui aurait pu être une préfecture de province, ni plus ni moins, la préfecture d'une très grosse ville, l'ami qui les a présentés et qui est là aussi, contrairement à son habitude, se conduit correctement, partout où ils vont ensemble, il le fait hurler de rire, là il fait attention, tout à coup, à table, cet ami peut se mettre à manger dans l'assiette de son voisin, sur un coup de tête, ou alors il arrive chez quelqu'un qu'il connaît à peine, s'allonge sur le canapé, enlève ses chaussures, et allume la télé, là, non. La femme sourit à l'invité. Elle a le front qui s'élargit, le visage qui s'éclaire, sa pupille s'agrandit, son œil semble revivre. Elle pose son regard sur lui comme s'il était quelqu'un d'hors norme, d'inouï, d'une exceptionnalité dont elle semble n'avoir eu auparavant pas la moindre idée. Jusqu'à ce qu'elle se trouve, ce soir-là, ici, chez elle, en face de lui. Ça semble la rendre heureuse comme si elle ouvrait sa porte au fleuriste qui lui livrait le bouquet d'un inconnu. Qu'elle n'avait pas soupçonné que puisse exister sur terre une personne telle que lui. Son sourire lui indique que l'ordre du monde est en train de s'écrouler sous ses yeux. Qu'il lui apporte quelque chose d'absolument inédit, qu'elle pensait ne jamais voir de son vivant, qui tient à lui exclusivement, à ce qu'il est intimement. À sa personne uniquement. Et que leur rencontre, l'échange de leurs deux regards, là maintenant, pourrait bien révolutionner leurs deux sphères.

L'exécutante

Elle regarde dans les yeux la nouvelle directrice qui vient de faire irruption dans son bureau, très énervée. Et qui l'engueule, avec son air pincé, en lui demandant pourquoi telle personne n'a pas encore été contactée, alors que le forum organisé par leur agence est dans dix jours. Calmement, elle lui répond, appuyée au dossier de sa chaise, que contacter les gens n'est pas dans ses attributions, que son travail est de réunir les coordonnées, de les transmettre à ceux dont le rôle est de téléphoner, que si les invités n'ont pas encore reçu d'appel elle n'y est pour rien, qu'elle a eu le numéro en question il y a dix jours, qu'elle l'a transmis, que la personne va être contactée, qu'elle n'est pas responsable du délai, elle lui répète que son travail est de réunir les informations pour les faire circuler. La directrice lui demande ce qu'il en est dans ce cas pour tel autre invité qui figure depuis un mois sur le programme, et qui n'a toujours pas été contacté, lui non plus. Elle répond que, là, n'ayant pas le numéro de téléphone, par définition elle n'a pas pu le transmettre. La directrice objecte qu'il suffisait de le lui demander, qu'elle est dans le bureau à côté, que l'employée n'avait que le couloir à traverser. Elle répond qu'elle va le faire. La directrice réplique que, même si elle appelle la personne très vite, même maintenant, même aujourd'hui, il y a de fortes chances que celle-ci ne soit plus libre, puisqu'elle attend depuis cinq semaines d'être contactée, elle lui rappelle par ailleurs qu'aucun des invités n'a reçu son billet d'avion ni le moindre coup de fil de confirmation.

Toujours appuyée au dossier de sa chaise, l'employée reste calme, l'expression de son visage n'a pas changé, ses yeux sourient, ses lèvres sont détendues, elle répond à la directrice que ça fait dix ans qu'elle travaille dans cette agence, que les choses se sont toujours déroulées normalement, que c'est à elle, la directrice, qui n'est là que depuis quelques mois, de comprendre que certaines choses ne font pas partie de ses attributions, et qu'elle ne pouvait pas se permettre d'appeler la personne elle-même. La directrice lui demande si elle veut dire que c'était à elle de le faire. Il y a un blanc. Puis elle ajoute :

— Qu'est-ce que vous proposez ?

L'employée décolle son dos de la chaise. Elle avance son buste vers le bureau. Elle pose son coude dessus. Elle dit qu'elle travaille dans cette agence depuis dix ans, qu'ils organisent quarante-cinq opérations par an, que les choses vont se faire. Et qu'elle est contente de recevoir tous ces invités, puis :

— Mais ça bien sûr vous vous en foutez !

La directrice précise qu'elle ne s'en fiche pas du tout. Mais n'est pas dupe de la situation, qu'elle sait très bien par exemple pourquoi la semaine précédente le téléphone n'a pas fonctionné, qu'il a été mis en dérangement volontairement, afin que les chiffres de l'année soient moins bons que ceux de l'ancien directeur, un militant d'extrême droite, qui a fini par être viré parce qu'il faisait travailler l'agence pour son organisation, l'employée ne répond pas. Les traits toujours aussi détendus, elle se réadosse à sa chaise. De nouveau il y a un blanc.

La directrice lui demande comment elle a pu organiser des réunions politiques de l'aile droite du Front national sans être gênée. Elle répond que les opinions politiques de son patron ne la regardaient pas.

Quelques mois après cette conversation, cet ancien patron meurt, plusieurs employés de l'agence se rendent à l'enterrement. Sur le cercueil, il y a une énorme couronne avec un ruban qui porte, en lettres d'or, le nom de l'organisation politique à laquelle il appartenait. Puis l'employée rentre à l'agence. À travers le couloir qui sépare leurs deux bureaux, la directrice lui lance :

— Vous avez mis des lacets blancs à vos chaussures ce matin ?

Elle a lu sur Internet que les skinheads mettaient des lacets blancs à leurs DocMartens pour signifier *White Power*.

Sans quitter son bureau, enfoncée dans sa chaise avec les yeux qui brillent et un petit sourire, elle répond avec une voix qui porte :

— C'est assorti à ma robe !

Sa robe grise a des surpiqûres blanches.

L'exilé

Il aimait être le seul Noir d'un quartier entièrement blanc, que les habitants de son immeuble le croisent sur l'épais tapis cramoisi qui dégringolait les marches de leur escalier en bois ciré. Puis il a perdu son travail. Il ne peut plus donner à sa compagne sa part du loyer, ils ont fait une demande de logement dans un quartier excentré, ils ont déménagé, et, dans leur nouveau quartier la proportion s'est inversée, sa femme est la seule Blanche de la rue le soir quand ils rentrent chez eux.

Il a retrouvé par hasard des copains qu'il n'avait pas vus depuis qu'il avait quitté son île, il pensait ne jamais les revoir, il y en a un qui habite à cent mètres de chez lui, un autre vient y faire ses courses, ils l'ont aidé à repeindre son appartement contre une bouteille de rhum et un peu d'argent. En signant le bail il a parlé créole avec l'employé de l'Opac, le lendemain il tutoyait celui qui faisait l'état des lieux en lui demandant son prénom, même si l'autre l'a vouvoyé en l'appelant « Monsieur » pour le recadrer, il parle créole avec le menuisier qui est venu réparer la porte d'un placard et lui a fait des travaux au noir dans la foulée, le caissier du petit supermarché est né dans la même ville que lui, et il a trouvé un barbier à proximité qui connaît bien les cheveux crépus, pour huit euros il lui taille sa barbe. Il achète des ignames et des bananes jaunes au marché, il en fait des gratins qu'il mange la nuit, il aime vivre en décalé pendant que tout le monde est couché. Il regarde Internet dans le silence, tout est calme dans le salon qui donne sur le grand jardin planté d'arbres, sauf quand sa femme fait irruption en chemise de nuit, sortant de leur chambre qui donne sur la rue, en lui disant qu'elle a été réveillée par les cris des prostituées ou des trafiquants qui se battent sous leurs fenêtres, elle pleure, dit qu'elle n'en peut plus, lui tend le téléphone pour qu'il fasse le 17, il ne le prend pas, il ne peut pas appeler la police, c'est plus fort que lui. Alors il ouvre la fenêtre, il crie : « Wwhowwhowwhowwhoo wwho !!!!!! » Ou encore : « Eh ! calmez-vous les mecs. » Ceux qui gueulent ne lèvent même pas la tête.

Il veut pouvoir se dire qu'ils ont vécu ensemble dans un quartier entièrement blanc et qu'ils peuvent vivre dans un quartier entièrement noir. Mais il aimerait que l'évolution du quartier aille plus vite, que le classement par le ministre de l'Intérieur en Zone de sécurité prioritaire finisse par avoir raison de la saleté des rues, des odeurs d'urine, des cris des prostituées africaines qui s'engueulent de leur voix assourdissante, des préservatifs dans le caniveau quand ils sortent le matin, des poubelles qui débordent sur le trottoir, de la porte du hall qui a été fracassée et n'a pas été réparée de toute la semaine, laissant n'importe qui entrer dans l'immeuble en pleine nuit, une prostituée avec un client, un camé qui se pique dans l'escalier ou dans le parking. Sa femme a appris qu'un cadavre avait été retrouvé au sous-sol quelques années plus tôt, il répond que c'était avant l'installation du Vigic pour ouvrir le portail, et du code de l'ascenseur, quand il voit des camionnettes de police stationnées à l'angle, même si lui n'appellera jamais les flics, il lui dit que maintenant c'est bon, que le quartier est sécurisé, même si les camionnettes ne sont là que l'après-midi, que les problèmes commencent le soir et s'intensifient la nuit entre deux heures et cinq heures.

Il est obligé de reconnaître que leur station de métro est devenue le nouveau lieu du deal depuis qu'une autre a été nettoyée. Toute la journée les bancs sont occupés par les consommateurs et les trafiquants, un copain de leur fils s'est fait dépouiller dans les couloirs en plein après-midi, sa femme a une hantise, sortir de la rame et se retrouver par terre ayant roulé sur une cannette. Quand il voit un mec dans la rue qui sort sa queue pour pisser contre une carrosserie, ou qui l'agite pour l'égoutter avant de la ranger, il s'approche, lui demande s'il n'a pas honte de sortir sa queue en pleine rue au milieu des femmes et des enfants, le type s'éloigne et ne répond rien.

La porte du hall a enfin été réparée, il passe le Vigic devant le système d'ouverture, il referme derrière lui, il entre dans l'ascenseur, il fait le code, il appuie sur le bouton de son étage, il traverse le palier jusqu'à son appartement, en faisant celui qui ne voit pas le vert chewing-gum des murs, il s'essuie les pieds sur le paillasson, et entre.

Il pose sur la table de la cuisine les ignames, l'avocat, le lait malté, et les crevettes fraîches qu'il a prises à la poissonnerie. Il ouvre la porte coulissante du balcon, prépare et fume son joint du soir appuyé à la balustrade, en regardant se balancer les feuilles des arbres. Puis il retourne à l'intérieur, et ferme le balcon, il allume la télé. Debout appuyé au chambranle de la porte du salon, il jette un coup d'œil sur le journal télévisé en disant que le gouvernement n'a fait qu'une seule bonne chose depuis qu'il est au pouvoir, l'intervention au Mali, qu'il ne votera pas pour eux la prochaine fois, que sur la question des réparations de l'esclavage, bien entendu, pour une fois, la gauche et la droite sont d'accord, d'un côté comme de l'autre ils ont tous dit que c'était impossible à mettre en œuvre, alors que les colons, eux, ont été indemnisés quand leurs esclaves ont été libérés au moment de l'abolition. Puis il s'allonge sur le canapé. Et il regarde, bouleversé, un film avec Gérard Philipe sur la vie qu'a eue Modigliani.

La photographe

La femme qui disparaît dans l'escalier lui a dit qu'elle aimait son travail, or elle l'admire depuis qu'elle est enfant, ses chansons sont parmi les plus belles qu'elle connaît, l'une d'elles est sa chanson préférée, elle pleure chaque fois qu'elle l'entend. Puis, le temps passe. Au cours des années suivantes, elle l'aperçoit plusieurs fois dans le même café, la chanteuse y déjeune toujours à la même table avec la même amie qui se met face à la salle, tandis qu'elle, pour ne pas être dévisagée, s'installe dos à l'escalier. Sa nuque est reconnaissable, sa coiffure, son maintien, sa démarche un peu martiale quand elle passe entre les tables pour rejoindre la sienne, elle sourit quand elle voit la photographe, elle peut aussi ne pas la voir, occupée à tracer son chemin, pendant que le niveau des conversations baisse sur son passage. Un jour, en enfilant son manteau avant de repartir, elle lui fait une réflexion sur sa nouvelle coiffure puis se faufile entre les tables, un autre jour dans une boutique de vêtements, elle l'aperçoit qui essaye une robe, dit qu'elle lui va bien, elle lui donne même un avis sur le genre de ceinture qui conviendrait, la photographe prend la robe, elle ne la met pas, trop longue, trop fleurie, pas pratique.

Après de nombreuses années, elle finit par se procurer le numéro de la chanteuse en se disant que celle-ci accepterait peut-être de poser pour elle. Elle lui envoie un texto, disant qu'elle aimerait lui parler de quelque chose. Elle a tout de suite une réponse et un rendez-vous téléphonique. Elle l'appelle, elle lui explique qu'elle aimerait la rencontrer, peut-être la photographier. La chanteuse dit oui sans hésiter, elle sera libre la semaine suivante, la rappellera pour le jour précis, la photographe n'entend pas le téléphone qui sonne, elle écoute sur sa boîte vocale les inflexions de la voix. Elle rappelle, et elles conviennent d'un jour de la semaine suivante dans un bar d'hôtel.

La veille, elle est dans le métro, elle reçoit ce texto : « Je ne pourrai pas vous voir demain, j'ai changé d'avis, je suis désolée, je ne suis pas assez en forme. » Assise sur un strapontin, la photographe répond tout de suite : « Je vous comprends, je ne suis moi-même pas en forme du tout et ne peux vous en vouloir, c'est ainsi, pas toujours facile, il n'y a aucun problème, amitié. » Elle n'est pas en forme non plus, elle n'a pas dormi de la nuit, elle s'est disputée avec son copain, elle est presque soulagée que la chanteuse ait décommandé, elle aurait aimé la photographier, mais elle n'est pas sûre vu l'état dans lequel elle est qu'elle aurait su la regarder. Elle est déprimée, elle a envie de tout laisser tomber, de quitter la ville pour ne plus jamais revenir, changer de métier, aller vivre ailleurs, seule, ne plus voir personne, plus jamais, laisser tomber tout le monde, en attendant de devenir vieille, de mourir, voilà les idées qu'elle a. Elle a passé la nuit à ruminer ce genre de pensées, elle comprend très bien que la chanteuse ait changé d'avis, et puisse en avoir marre elle aussi.

Quelque temps après, par un ami d'ami, elle apprend que, quand elle a reçu sa réponse envoyée du métro, la chanteuse a regretté d'avoir annulé. Elle recherche le texto dans son téléphone, elle le retrouve, elle le relit, et, victorieuse, se sourit à elle-même.

La femme à sa fenêtre

Elle avait été réquisitionnée pour repasser le linge des Allemands, elle était repasseuse, elle avait un atelier, elle le livrait à la Kommandantur dans une brouette, au fond, sous le linge des officiers, elle cachait le beurre et les œufs qu'elle apportait à sa sœur pour sa nièce, sûre de ne pas être contrôlée puisqu'elle allait à la Kommandantur, on la voyait caracolant avec sa brouette dans les rues, aujourd'hui, elle passe ses journées sur une chaise longue devant sa fenêtre.

Elle n'a pas d'enfant, son mari est mort, sa sœur est morte. Sa nièce a vieilli, elle passe la voir de temps en temps avec son petit-fils. Elle se plaint de ses rhumatismes, répète ce qu'a dit le médecin, lui raconte comment elle occupe son temps. Le matin elle se lève, fait un peu de toilette, fait cuire une escalope, chauffer des haricots verts, les après-midi sont longs, elle dit toujours la même chose. À son petit-neveu qui s'ennuie, elle dit d'aller dans la cuisine prendre des biscuits Brossard, de revenir s'asseoir, ou d'aller jouer dans la cour, une petite cour carrée, semée de gravier, entourée de murs, avec des plates-bandes étroites, plantées de fleurs, cernées de ciment dentelé, qui courent le long de quatre murs gris. Le petit garçon imagine qu'il achète des graviers, il les fait cuire, il les mélange à des petits bouts de papier déchirés, et il retourne dans la salle à manger pour leur montrer le plat qu'il a préparé. Il demande s'il peut aller au grenier. Sa grand-mère accepte de l'accompagner, il y a des malles pleines de journaux, une collection de fers en fonte qui date de l'atelier, des brocs et des cuvettes en porcelaine qu'on utilisait pour se laver, et juste avant l'escalier il y a une chambre qui a été la chambre d'une bonne, Marie. Sa grand-mère lui dit que ce n'était pas son vrai prénom, mais celui de sa fonction, que ç'a été le prénom de toutes les bonnes qui se sont succédé dans cette chambre, quel qu'ait été leur vrai prénom, et elle lui explique, avec un regard souffrant comme s'il s'agissait d'elle, que c'étaient des filles de la campagne, qui n'avaient rien à elles.

Le client des grands hôtels

Sa laideur fait partie de son charme, il porte une chemise en percale à fines rayures, il a relevé les manches sur ses avant-bras, elles sont roulées soigneusement entre le poignet et le coude, le premier bouton est ouvert, il ne porte ni cravate ni veste, c'est l'été, il est en vacances, dans ses mocassins en cuir fin il n'a pas de chaussettes. Son visage est détendu, un demi-sourire flotte sur ses lèvres minces, le col ouvert laisse apparaître un cou large, puissant, sous le coton de la chemise finement rayée et impeccablement propre et repassée, on devine sa carrure, ses épaules fortes qui remplissent bien les emmanchures, juste au-dessus de la ceinture, le bouton sur le ventre tire à peine. La serveuse pose la carte du bar sur leur table, lui et sa femme viennent de s'asseoir face à la montagne, qui tombe à pic dans la mer irisée, ils sont assis à la terrasse de l'hôtel, sur une petite banquette capitonnée, un petit vent fait danser les branches des palmiers sur le bleu du ciel. Ses cheveux épais, une toison grise ordonnée, se détachent sur le mur en pierre du bâtiment, son regard sur la montagne exprime la détente, il contemple ce qui s'offre à ses yeux, un très beau paysage. Son demi-sourire ne s'étire pas, sa tête ne bouge pas, à peine de quelques centimètres pour suivre du regard le dos de la serveuse, qui, après avoir déposé la carte, s'éloigne, serrée dans un long tablier, qui lui arrive sous le genou, fait le tour de son corps, comme un fourreau étroit, et moule la largeur de ses fesses par-dessus le pantalon. La femme aussi suit des yeux la serveuse au derrière compact dans le tablier en grosse toile. Elle aussi a l'air bien et détendue, elle est brune, mince, jolie, assez grande, les cheveux courts, elle porte une robe grise, fluide, elle ne semble pas concernée par le pianiste qui joue le *Boléro* de Ravel sur un demi-queue blanc.

Ni l'un ni l'autre ne semblent avoir envie de ne pas être qui ils sont, ses traits à lui expriment, non pas la satisfaction imbécile de ceux qui n'en ont aucun motif, ou l'adoptent au moindre succès, mais une satisfaction pleine. Un contentement réaliste adapté à sa situation réelle, dont le confort est objectif. Sa ceinture d'un cran à peine trop serrée permet à son pantalon d'être fixé aux hanches, aux pans de sa chemise de ne pas sortir, sans que le ventre soit comprimé, son expression de satisfaction semble justifiée par la mesure qu'il a atteinte en tout, à commencer par l'adaptation parfaite entre la taille de son corps et celle de ses vêtements au confort ni excessif ni insuffisant, il peut mouvoir ses bras à l'intérieur de ses manches avec ce qu'il lui faut d'aisance, et ses jambes peuvent bouger à l'intérieur de son pantalon comme à l'intérieur de l'étui d'un violon.

L'homme qui ne sort jamais

Il fait encore très froid mais le printemps est déjà commencé, les mains dans les poches, les épaules serrées, une petite foule piétine à l'entrée du cimetière, des sourires s'ébauchent, des regards se croisent, des mots sont prononcés à mi-voix, l'homme, accompagné de sa femme, se tient droit, pardessus noir, écharpe grise, cheveux blancs, visage mince, il dépasse tout le monde d'une tête, et regarde ailleurs.

Celui qu'on enterre l'enviait, s'il avait eu le courage de consacrer sa vie uniquement à la musique, il aurait voulu être lui. S'il n'avait pas eu ce besoin d'avoir des déjeuners, de recevoir des coups de fil, d'exercer de l'influence. Le corbillard arrive. La petite foule avance dans l'allée principale, des cordes descendent le cercueil au fond du trou, le plus délicatement possible, quelques mots sont dits dans un micro par la famille, une feuille est distribuée à ceux qui veulent suivre, le son d'une guitare envahit les allées, une femme prend appui contre un arbre, elle pleure. Beaucoup ont des lunettes noires. Ceux qui veulent se recueillir devant le cercueil font la queue, puis après avoir fait leurs adieux à celui qu'on va recouvrir de terre, certains restent à parler, à pleurer, ou à se jeter dans les bras les uns des autres en s'accrochant aux cous et aux manteaux, avant de desserrer leur étreinte, d'échanger leurs nouveaux numéros de téléphone. Ceux qui le connaissaient bien disent à ceux qui le connaissaient moins que pour lui ils comptaient.

— Tu lui as donné beaucoup de forces.

— C'est vrai ?

— Trente-huit ans de coups de fil quotidiens, je connaissais un peu sa vie quand même…

L'homme qui ne sort jamais s'attarde lui aussi au milieu de l'allée, une femme s'avance, lui tend la main timidement, mais la remet dans sa poche car il approche son visage du sien :

— Il parlait souvent de vous…

— À moi aussi il me parlait de vous. Vous étiez une sorte de modèle pour lui. D'idéal…

— Mais vous. Il y avait eu. Vous. Heu. Vous. Je sais plus quand c'était. Vous vous souvenez pas ? Vous vous souvenez pas ? Parce que. Il y avait eu. Ils avaient. Parce qu'ils avaient. C'était. Je. Je sais plus quelle année c'était. Vous vous souvenez pas ? Il faudrait que je retrouve. Parce que j'avais. Heu. Enfin parce que. J'avais. Enfin j'avais dit. Parce qu'on avait. Enfin on avait fait... une émission. Mais je sais plus. Et j'avais. Je ne me souviens plus où c'était il faudrait que je retrouve. J'avais dit. Il faudrait que je retrouve. Je me souviens plus. Mais j'avais. Enfin. Peut-être 94 ? Vous savez plus non plus ? Peut-être. Il faudrait. Ils avaient. Parce qu'ils avaient. Ou 99. Je sais plus. Ou alors, mais il faudrait que je retrouve. Peut-être...

Il tourne la tête pour mieux chercher dans sa mémoire, dirige ses yeux vers le lointain pour ne pas être distrait par la petite foule, en train de se disloquer dans les allées, mieux distinguer dans ses souvenirs, comme dans une boîte imaginaire en désordre, dans laquelle il fouille, ou en train de couler au fond de l'eau dont il veut sauver quelques vieux papiers, la femme dit :

— Ou 2004 ?

— Peut-être.

La tête sur le côté et le regard toujours dans le vide, comme pour mieux chercher :

— Je sais plus. Peut-être 2004. Mais je crois pas c'était avant. Ah oui si c'est ça oui. Peut-être. Parce qu'ils avaient fait un..., oui c'est ça ils voulaient faire interdire. Mais je sais plus...

— Pour appeler au boycott.

— Pour appeler au boycott. Oui. Peut-être. Oui. Il faudrait que je retrouve. J'avais dit à propos de vous. Si, c'est ça alors. Oui c'est ça. Ça devait être 99. Parce que. Parce que c'était. Parce que vous. Je me souviens. Et on avait. On. Enfin je sais plus... Comment... Comment ça s'était passé... C'est pas mon genre mais j'avais dit...

Il dit une phrase qu'il avait dite alors. Oui, répond-elle, celui qu'on enterre le lui avait raconté. Elle lui dit qu'elle est heureuse de lui parler pour la première fois sans intermédiaire, ça lui fait un immense plaisir, dit-elle. Il la regarde :

— Alors... alors il faudrait que... Mais enfin je sais pas. On pourrait. On pourrait se... Enfin on pourrait peut-être. Je sais pas. On. On. Peut-être. On pourrait se... Se voir.

Ils se font la bise. Conviennent de s'appeler. Mais le lendemain, par quelqu'un qui le connaît bien, qui autrefois le voyait, elle apprend qu'il fait toujours ça avec les gens, il manifeste son envie de les voir, puis il disparaît.

La milliardaire

Elle est en rendez-vous avec le médecin à propos du cancer de son mari, elle dit : « Ah la la la vie c'est une drôle de tartine. » Ça lui permet d'entrer directement dans le sujet. Elle en a dit assez pour le diriger. Elle lui a fait comprendre par cette phrase qu'il ne faut pas qu'il soit macabre, mais qu'il peut quand même aller au fait. Elle veut qu'il lui dise exactement ce qu'elle veut entendre, uniquement, pas plus, pas moins. Elle n'évite pas les sujets, elle fait face, il ne faut pas lui dire tout, mais juste assez. S'il commence à aller trop loin, elle a une phrase pour l'arrêter : « On ne va pas entrer dans cette fricassée. »

Pour chaque rendez-vous elle calcule la première phrase qu'elle dira. Elle a dix rendez-vous par jour, chacun dure trois quarts d'heure. Dans le dernier quart d'heure, elle sait qu'on va lui demander de l'argent. Elle a une demi-heure pour elle, pendant laquelle, avec une parfaite maîtrise du temps, elle oriente la conversation.

Dans le salon privé d'un restaurant des Champs-Élysées où elle dîne avec des amis, quatre cinq personnes, c'est un dîner intime, il y a juste quelques proches, ils n'ont pas encore commandé, ils sont autour de la table, elle lance à son mari :

— Il paraît que papa a fait partie de la Cagoule !... C'est absurde !?

— Ce n'est pas absurde du tout, il n'en a pas fait partie, il l'a financée !

— Financée !? Ah bon... Allez on commande. Qu'est-ce qu'on va manger ?

Elle démarre, elle clôt, elle ponctue. Du début à la fin, elle met les situations en scène, elle mène la danse par les questions rapides qu'elle pose d'une voix fluide, haut perchée, féminine mais rythmée, jamais alanguie, les réponses s'enchaînent sur le même rythme, elle n'a pas le temps de s'en lasser, les choses les plus sérieuses peuvent être abordées, sans qu'elles aient le temps de déprimer l'assistance, à commencer par elle, elle décide qui elle verra et ce qui se dira. Entre la raquette de la première phrase et la dernière pour arrêter la balle, elle affecte un air de curiosité et de surprise intéressée. Elle maîtrise le rythme des déjeuners et des dîners comme celui des rendez-vous, et des conseils d'administration, qu'elle préside avec une conscience absolue du temps qui passe. Elle ne regarde sa montre que pour créer un effet. Elle n'entend jamais quelque chose qu'elle ne souhaite pas entendre, elle sait ce qui va venir, c'est elle qui prépare, elle sait comment taper dans la balle, et la renvoyer définitivement de l'autre côté du filet. Elle joue, elle arbitre, elle fait tout. Elle fixe elle-même la durée des matchs sans qu'il soit besoin de donner un coup de sifflet.

Admettons, vous êtes un ami. Vous avez une conversation intime avec elle, vous la voyez de trois à quatre, c'est elle qui a fixé l'heure, et elle vous demande de vos nouvelles. Votre mère doit se faire opérer dans les jours qui viennent, ça vous soucie, vous lui en parlez, vous dites :

— Ma mère a un problème.

Elle répond :

— C'est grave ?

Avec les yeux grands ouverts, un ton à la fois personnel et mondain, une curiosité si intense que la fin en est forcément programmée. Si vous commencez à répondre sérieusement, comme une femme fragile, qui a des limites, à ce qu'elle peut entendre, et à ce que cette fragilité peut encaisser, tout à coup elle approche la main de sa poitrine, et appuie le bout des doigts sur son plexus :

— Ah non, me parlez pas de votre mère !

Les yeux soudain brumeux elle met ses doigts comme un petit tipi, dressé au milieu de sa poitrine, au creux des seins, pour abriter son plexus, l'endroit vulnérable qu'elle veut protéger, trois doigts comme un abri antiatomique pour lui permettre de respirer pendant que vous comprenez que vous ne pouvez pas continuer. Puis elle reprend. Sur un nouveau sujet. Vous l'avez écoutée parler de son entreprise pendant les trente premières minutes, vous êtes son ami elle est le vôtre, elle vous interroge sur vous avant que vos trois quarts d'heure soient écoulés :

— Ça va, vous ?

Vous commencez à parler des difficultés que vous avez avec votre travail. Elle écarte la manche de sa veste, dégage son poignet :

— Vous permettez ?

Elle regarde sa montre :

— Oh mon Dieu !

Elle met son poignet en évidence, pour être sûre de bien voir l'heure indiquée par sa Swatch, elle dit :

— Mais il est quelle heure ?... Quatre heures dix !?

Vous aviez rendez-vous de trois à quatre. Elle lève l'avant-bras à la hauteur de ses yeux pour s'assurer qu'elle a bien vu l'aiguille jaune dépasser l'heure.

— Quatre heures dix. Mon Dieu ! Monsieur Untel doit m'attendre.

Elle ne supporte pas d'être en retard. Vous le savez. Elle se lève, vous embrasse.

— À vendredi dans quinze jours. On s'écrit d'ici là ?

Les points d'interrogation sont des points. Les questions sont des affirmations ou des négations. C'est l'un ou c'est l'autre. Son mari et ses enfants ont le même phrasé. La diction de la famille est à l'image de leur énergie, une mécanique de précision qui atteint son but sans déperdition. Une seule catégorie de sujets déroge à cette règle, ceux dont l'objet strictement individuel peut lui échapper :

— Vous prenez quoi le matin au petit déjeuner ?

Admettons que vous répondiez : du chocolat.

— Vous prenez du chocolat ?

Elle marque une pause, étonnée, puis reprend, très concentrée :

— Vous prenez quoi du cacao ?

Le point d'interrogation, là, au contraire, est très marqué. Comme si vous apparteniez à une autre espèce. Qu'elle veut découvrir. Qui l'intéresse. L'espèce qui prend du chocolat au petit déjeuner. Par définition ça l'intéresse puisque ça lui est étranger, la phrase traîne légèrement sur la fin, pour bien marquer qu'elle ne savait pas du tout, du tout, du tout, que vous preniez du chocolat au petit déjeuner, qu'elle est étonnée, que l'autre est décidément un être singulier. Ce genre de point d'interrogation prépare souvent une désapprobation suivie d'un conseil.

— Et c'est pas trop difficile à digérer ?

Tout d'un coup, la voilà qui prend du recul. Et qui vous regarde. Comme si l'éclairage sur votre visage était soudain meilleur avec ces quelques centimètres de distance supplémentaires, et elle dit à son mari qui bénéficie du même angle :

— Tu trouves pas qu'il fait penser à Papa ?

Vous ne dites rien. Il n'y a rien de spécial à dire. Vous n'êtes pas vous, vous êtes une bouteille à la mer ramenée jusqu'à eux. Les courants marins vous ont rapporté jusqu'ici, par les vagues, le ressac, une bizarrerie du vent.

Quand elle vous écrit, c'est au réveil, un mail ou un fax de son écriture aux jambages démesurés. Elle fait des phrases courtes, elle passe du coq à l'âne pour indiquer que l'esprit de sérieux n'est pas ce qui la dirige et qu'elle est libre. Vous lui répondez. Elle répond à votre réponse. Elle vous parle du temps qu'il fait ou d'art moderne sur le même ton léger, vous devez l'accompagner dans quelques jours à une vente, elle écrit : « Je pense à un tableau pour ma chambre mais ça dépendra de ce qui se présente. Je vous embrasse, Mondrian ne me fait pas rêver. J'espère que vous avez maigri, c'est capital ! »

Les deux cousines

Ce dimanche-là, elles ont convaincu les adultes de jouer à cache-cache dans la forêt avec les enfants. Ils s'amusent comme jamais, heureux de faire redécouvrir ce bonheur à leurs parents, surtout deux cousines qui font équipe. Puis le jeu se termine.

C'est l'heure de rentrer, tout le monde marche sur la route goudronnée en direction des voitures, les deux cousines devant, en grande discussion. Partager cette joie avec les adultes les a rendues ivres de bonheur. La plus âgée veut faire un serment, elle s'anime, veut convaincre la plus jeune de jurer la même chose. Son idée est de prendre l'engagement, là, maintenant, qu'elles joueront à cache-cache toute leur vie, quel que soit leur âge, quelle que soit l'opinion des gens. Quelles que soient les incompréhensions qu'elles rencontreront. Il faut qu'elles jurent toutes les deux de jouer à ce jeu même quand elles seront adultes. De façon à faire évoluer, tout d'abord, leur classe d'âge, et ainsi, toute la société. Elle est consciente qu'il y aura des moqueries, mais il faudra continuer. Pour être sûres qu'elle et sa cousine tiendront cet engagement, elles doivent le jurer maintenant, tout de suite, dans cette forêt, sur cette route, avant d'arriver au parking, avant de remonter dans les voitures, de se retrouver avec les autres, elles ne doivent attendre ni le lendemain ni plus tard, et profiter qu'elles sont encore dans l'élan. Elles ressentent encore la joie du jeu qui vient de se terminer. Elles en sont encore imprégnées, et conscientes.

La grande demande à la petite de s'engager à ne jamais faire comme ces adultes qui n'y jouent plus, qui se promènent dans les allées à pas lents, sans courir, alors qu'ils ont reconnu eux-mêmes s'être bien amusés. Elle les trouve incohérents, ne comprend pas pourquoi les enfants ont eu à les convaincre de jouer. Elle les désapprouve.

Le serment doit rester secret pour ne pas susciter les moqueries. Les deux cousines devront respecter leur parole. Elles n'en diront rien aux autres enfants par crainte de voir leur enthousiasme cassé. Elles les sentent moins passionnés qu'elles, moins prêts à s'engager. Les adultes ignorent ce qui est en train de se décider à quelques pas devant eux. Elles ne sont pas exaltées mais calmes, elles sont en train de sceller un engagement sérieux, militant, politique. Leur avenir est en jeu. Le leur, et celui de la société future. La grande, celle qui a eu l'idée, sait qu'elle profite de son influence sur la plus jeune, parce qu'il faut bien commencer par quelqu'un si on veut faire évoluer les comportements. Elles arrivent au parking, et, juste avant de monter dans les voitures, toutes les deux jurent de jouer à cache-cache toute leur vie. Avec l'idée que l'ensemble de la société évoluera à leur suite. Que le comportement humain dans son ensemble changera. Pour elles, ce serment est un premier pas. Une modification profonde des mentalités finira par se produire grâce à elles. Ainsi, dans quelques années, les gens seront plus heureux.

L'intellectuel laid

La femme qui l'accompagne au taxi est parfaitement consciente de sa laideur. Pour qu'il ne pense pas qu'il la dégoûte, elle fait bien attention à ne pas s'écarter de lui quand le trottoir se rétrécit, ou qu'un groupe de passants les bouscule, à ne pas éviter de le frôler, et au contraire à laisser leurs corps, leurs bras, leurs coudes se rencontrer exactement comme si elle marchait à côté de quelqu'un qui ne la dégoûte pas. Elle marche à côté de lui volontairement assez près. Il commence à traverser la rue, il est déjà engagé sur le passage piéton, mais le feu passe au vert pour les voitures elle le retient par le poignet, sa main effleure le dos de la sienne. Il fait un pas en arrière, se remet sur le trottoir à côté d'elle. Elle lui sourit. Tout en descendant sur le boulevard, ce physique, ce teint cireux, cette lippe mouillée, ce dos voûté, elle les regarde. Elle ne peut pas s'empêcher d'en reconnaître, à force, l'intérêt, voire le charme, si elle surmontait sa répulsion, et l'avantage qui retomberait sur elle des baisers qu'elle imagine éventuellement lui donner. Après avoir traversé la rue, elle est freinée par un obstacle, une femme avec une béquille, qu'elle laisse passer devant elle, mais que lui n'a pas vue. Il a pris un pas d'avance, un petit écart s'est creusé. Elle le rejoint, car il l'attend. Elle le voit fixe sur le trottoir. En l'observant avec ce petit recul, elle se dit qu'il pourrait même la troubler si elle continuait de chercher à l'être. Elle pourrait trouver des raisons de se sentir attirée par cette peau huileuse et cette bouche qu'on dirait de mort si on s'arrêtait aux dents et aux lèvres. Elle pourrait même se trouver avec lui dans un lit, pense-t-elle. Certainement le toucher et que ça lui plaise. Le caresser. Enfoncer ses doigts dans son ventre avachi. Elle a remarqué ses mains, elles sont fines, ses phalanges sont longues. Elle pourrait se laisser toucher par lui avec un dégoût mêlé d'autre chose. Ils marchent maintenant au même niveau. Elle se demande si les passants pensent qu'ils sont ensemble. Elle se dit qu'il serait très amoureux d'elle. Elle s'emploierait à le convaincre qu'il est plus attirant qu'il ne le croit. Et que les hommes classiquement beaux ne l'ont jamais intéressée. Qu'elle le préfère. Elle lui citerait les noms de ceux, pourtant très beaux, qui lui plairaient moins que lui.

Elle trouve qu'il a un regard doux quand il tourne son visage vers elle. Elle ressent quelque chose. Être avec lui ne la dégraderait pas, ça ferait d'elle une femme qui indifférente au goût de l'époque ne se soumet pas aux codes, vit dans l'exceptionnel, ça révélerait sa force.

Par ce jour de printemps, elle se dit que les seuls plaisirs physiques de l'intellectuel qui marche à côté d'elle sont la caresse du soleil, celle du vent, celle de la mer tiède, ou d'un massage par des mains professionnelles. Elle pourrait lui faire le cadeau d'être regardé par une femme désintéressée qui lui dirait qu'il est beau, puisqu'elle arriverait, elle en est sûre, à le penser. En arrivant à la station de taxis, elle imagine, et elle envie, le plaisir des femmes qui couchent de temps en temps avec lui ayant surmonté leur dégoût, elle suppose le frisson que doivent leur donner les longs doigts qui parcourent leurs flancs. Elle se demande si c'est pour le rassurer lui, ou au contraire pour lui montrer qu'il n'a rien d'exceptionnel, qu'elle fait bien attention à laisser le tissu de sa veste en lin et le cuir du blouson se frôler.

La rue est bruyante, il veut lui dire quelque chose, il a le sourire de celui qui voit la façon dont elle approche son oreille. Il va monter dans le taxi, elle pourrait lui serrer la main, elle approche son visage du sien, alors que rien ne l'y oblige. Elle lui fait une bise sur les joues, pose sa main sur son bras, et sent sous ses doigts le cuir souple.

L'homme de l'arrêt de bus

Il est carré, il est grand, il a la peau claire, son costume est gris, il monte et descend toujours au même arrêt qu'un jeune homme au visage fin. Ils habitent dans la même cité, ils vont au même endroit, l'université, et, alors que les autres passagers font mine de ne pas se reconnaître, eux se disent bonjour à l'arrêt du bus, et ils se disent au revoir à la descente.

Un jour, ils se parlent un peu plus. Le jeune homme, qui est étudiant, apprend que l'homme descend comme lui à l'université parce qu'il y est gardien. L'homme l'invite à venir avec ses parents prendre le thé chez lui le samedi suivant, il lui donne son adresse. Il habite avec sa femme un des HLM qui se trouvent au-dessus des boutiques du centre commercial, le jeune homme dit qu'il habite un peu plus loin, dans les ILN, la catégorie de logements juste au-dessus, les deux catégories, qui se trouvent dans le même quartier, ne se différencient que par des petits détails.

Le jeune homme transmet l'invitation à ses parents et ils y vont. La conversation n'est pas fluide. Les parents prennent l'air admiratif par politesse quand le couple parle des économies qu'ils réalisent en faisant leurs courses, dit que tout est une question d'organisation, que les gens s'organisent mal, qu'eux qui ont peu d'argent mais qui s'organisent ne manquent de rien et sont heureux, quand il y a des promotions sur le beurre ils en achètent dix paquets d'un coup, les mettent au congélateur, les sortent au fur et à mesure, ils leur donnent les prix à l'unité, ils multiplient l'économie par le nombre de paquets, et font remarquer l'économie globale. Ils leur expliquent qu'ils n'ont pas d'enfants, pas d'amis, qu'ils ne reçoivent jamais, que ça ne leur manque pas, qu'ils sont bien tous les deux. Ils sont nés dans cette ville, mais reconnaissent que les habitants ne sont pas aimables, qu'il est rare que des gens se saluent dans le bus, et s'invitent, puis, comme c'est en train de se passer là, se rendent visite. Le jeune homme note des différences entre les deux appartements, les boîtes aux lettres de leur immeuble sont en bois alors que celles des HLM sont en métal cabossé, les poignées des portes de chez eux sont en acier celles du couple sont en plastique, chez eux il y a de la moquette alors que sur le sol des HLM il y a du Gerflex, chez eux il y a des vraies plinthes alors que dans l'appartement de ce couple c'est un ruban de caoutchouc noir collé en bas du mur qui parcourt les pièces sur toute la longueur.

Le mari de la milliardaire

Leur invité arrive dans une de leurs maisons pour y passer trois jours, il s'assoit dans le salon, il a vaguement remarqué en passant dans le vestibule une espèce de gros truc blanc, de grosse pierre blanche, à laquelle il n'a pas fait attention, le mari de la milliardaire dit :

— Vous avez vu la grande sculpture blanche dans le vestibule ?

L'invité répond :

— Oui oui j'ai vu.

Il s'alourdit dans le gros fauteuil. Ça ne l'intéresse pas spécialement.

— Qu'est-ce que c'est d'après vous ? Vous savez ce que c'est ? Vous avez reconnu ?

— Non je ne sais pas.

— Mais si, devinez, dites. Qu'est-ce que ça peut être d'après vous ?

L'invité se retourne vers la grosse pierre blanche, pour y jeter un nouveau coup d'œil.

— Non je ne vois pas. Je ne sais pas.

— Mais si voyons, allez-y, devinez. Cherchez.

— Non je ne sais pas.

Il regarde de nouveau :

— Non, je ne sais pas.

— Dites un nom.

L'invité tourne de nouveau la tête vers le vestibule, et il finit par dire :

— Je ne sais pas… disons Arp tardif ?!

— Non ! Mieux !

— Je ne sais pas.

— Mieux, je vous dis. Mieux, beaucoup beaucoup mieux. Devinez.

— Terestchenko ?

— Non. Mieux. Beaucoup mieux.

— Écoutez je ne sais pas. Richard Serra.

— Non je vous dis, non, mieux. Essayez de deviner, essayez encore.

— Écoutez je ne sais pas.

— Essayez de deviner !

— Je ne sais pas je vous dis, je ne vois pas.

— Est-ce que vous voulez savoir ce que je dis aux gens qui viennent ici, que je leur fais deviner, et que comme vous ils ne trouvent pas ?

— Oui. Dites-moi.

— Quand ils disent « Picasso », je leur dis « non, mieux, beaucoup mieux », donc ils disent « Brancusi », je leur dis « non, mieux, beaucoup beaucoup mieux ». Et comme ils ne trouvent toujours pas, je finis par leur demander s'ils donnent leur langue au chat, ils me disent oui. Et là je leur dis : « Dieu ! » Oui. Parce que c'est une pierre. C'est une pierre que notre ami Untel a trouvée sur la plage de Fécamp et qu'il nous a rapportée.

Le visiteur pourrait être Arp lui-même, Richard Serra, Picasso lui-même, ou Brancusi, le milliardaire n'est pas en concurrence avec lui. Il ne peut ni être impressionné ni déçu par lui, en dessous de Dieu, rien ne peut sérieusement le concerner. Le niveau de Dieu est celui auquel il vit, le top niveau, celui auquel lui et sa famille respirent, auquel ils se situent, celui de la nature, des paysages que Dieu a créés, de l'essence, de l'essentiel, et ce niveau-là, la preuve vient une nouvelle fois d'en être apportée par la devinette, eux seuls sont capables de l'estimer.

— Regardez la nature. Cet arbre. Cet oiseau. Ou même votre main, et que vous puissiez fermer et ouvrir vos doigts comme ça. Et le va-et-vient de la mer, qui va jusque-là, mais pas plus loin. Qui s'arrête là, juste là, sur cette ligne irrégulière, et parfaite, qui laisse un peu d'écume. Le sable qui absorbe juste ce qu'il faut de la vague pour laisser une sensation idéale sous les pas.

Il a une remarque pour tout, par exemple, il visite le magnifique château d'un ami, et il traverse le parc :

— Le gazon. Comment l'entretenez-vous ?

Ces poches de candeur, comme une résurgence de l'âge des pourquoi chez un adulte, avec des nuances d'étonnement dans la voix, mettent en valeur par contraste son extrême assurance. Comme une trace de fraîcheur inexplicable et inattendue sur son piédestal. Un morceau d'enfance oublié là, une trace d'humanité perdue dans la divinité, ou une lacune égarée au milieu de tant de maîtrise. Ces petites poches de naïveté disséminées, réparties au hasard et à dessein, permettent aux autres de prendre le pied sur lui, sur ces poches-là précisément et uniquement, les autres domaines restant strictement inaccessibles, elles sont choisies en fonction de leur inintérêt total, le gazon dans un sublime château, ou l'énigme que représente le fait que l'invité puisse demander un deuxième parasol sur une plage à Saint-Barthélemy alors qu'il y en a déjà un qui est immense.

— Vous voulez un deuxième parasol ??

Le point d'interrogation redoublé et la mollesse dans la prononciation laissent percevoir une béance, un gouffre d'incompréhension, à moins, suggère une des nuances de la voix, que l'invité soit un peu capricieux. Il n'y a pas un sujet auquel il n'ait déjà réfléchi, et sur lequel il n'ait statué, ce double point d'interrogation semble le méduser lui-même pendant qu'il le produit, puisque, sur tout, son regard est arrêté, l'écume dans la porosité du sable, la répartition de l'ombre sur la plage, le peuple soi-disant élu qui ne l'est pas et ne l'a jamais été, le fait qu'il ne fréquente pas de juifs pour ne pas prendre le risque d'avoir le sang du Christ sur sa tête, et puis, si quelqu'un vient chez eux avec des chaussures sales, c'est terminé.

L'enfant

Il range ses chaussures, suspend son manteau, referme la porte coulissante du placard, et sourit en présentant ses joues pour dire bonjour. On lui demande comment il va, il répond : « Bien. » S'il a passé une bonne semaine, il répond : « Oui. » Ce qu'il a fait d'intéressant depuis la dernière fois, il fait mine de chercher dans sa tête, comme s'il en scrutait des replis inaccessibles, il tente de se remémorer le film de sa semaine, les yeux au plafond, interrompant cette recherche on lui demande si ça s'est bien passé à l'école, il répond encore : « Oui », puis, une fois ses chaussures enlevées et rangées dans le placard, il ne s'installe pas dans le salon, à moins d'y avoir été invité, mais va tout de suite dans sa chambre, pour voir si un nouveau numéro de son journal est arrivé en son absence. Il retire le blister, regarde la couverture, le lit jusqu'à la dernière page. À la demande de son père, il ressort pour aller chercher du pain avec son frère et sa sœur, on entend le bruit de la porte coulissante du placard, celui des clés, des pièces de monnaie qui s'agitent dans ses mains. À son retour, il passe par la porte du couloir pour poser sur la table de la cuisine la baguette qu'ils viennent d'acheter, ou pour ranger des œufs, des tomates ou autre chose dans le frigidaire. Si à ce moment-là, la porte du frigidaire est ouverte parce que quelqu'un regarde à l'intérieur, bloquant ainsi l'entrée dans la pièce, qu'il ne peut pas passer, il attend sur le seuil. En silence. Sans bouger de derrière la porte qui a interrompu son trajet dans sa fluidité. Il fait pareil quand il y a quelqu'un aux toilettes et qu'il a envie d'y aller, il attend debout devant la porte, comme s'il était dans des toilettes publiques, un café ou un cinéma, jusqu'à ce que la personne en sorte. Si on lui dit, en essayant d'y mettre une note d'humour pour se décrisper soi-même, qu'il n'est ni dans un restaurant ni dans un cinéma et qu'on ne va pas lui voler sa place, qu'il n'a pas besoin de rester là, que, sinon, comme dans les toilettes publiques, on va mettre une petite soucoupe pour qu'il puisse laisser une pièce, il regarde la personne de ses grands yeux fixes, dit : « D'accord », et retourne dans sa chambre, jusqu'à ce qu'il entende le bruit de la chasse d'eau, qui lui signale qu'il peut revenir. Si personne ne lui dit rien, il stationne en silence derrière la porte du frigidaire qui empêche de passer son petit corps d'enfant poli, obéissant, patient, qui attend soit que la personne ferme la porte, soit le renvoie d'un ton autoritaire, et qu'éclate alors l'injustice qui frappe un enfant si docile. Dans le cas d'un renvoi sur un ton autoritaire, il s'éloigne. Et revient vérifier de temps à autre si la voie est libre. À moins qu'on lui ait dit explicitement de faire un détour par le salon pour entrer dans la cuisine. Dans ce cas-là, les fois suivantes, il fera la même chose, le même détour, chaque fois qu'il verra la porte du frigidaire ouverte. Jusqu'à l'apparition d'une nouvelle consigne. Qu'il appliquera elle aussi à la lettre, jusqu'à ce qu'il soit renvoyé d'un ton ferme à l'option précédente.

Quand l'heure du repas approche, il se déplace autour de la table à toute vitesse de façon, quand il met le couvert, à ne pas être rattrapé par son frère qui n'est pas encore arrivé dans la cuisine. Si son père fait remarquer à son frère ou à sa sœur que c'est toujours lui qui met la table, il continue de s'activer comme si de rien n'était, comme s'il n'avait pas entendu, il poursuit son ballet silencieux entre les tiroirs et les placards, parvenant mal à masquer sa joie sous les traits fixes de son visage, qui continue d'afficher la même humilité que quand il attend son tour pour aller aux toilettes, ou derrière la porte du frigidaire. Pendant qu'il poursuit son ballet dans la cuisine, sa seule crainte, son inquiétude, est que l'affolement d'avoir terminé avant l'arrivée de son frère et de sa sœur fasse qu'il ne mette pas les bonnes serviettes avec les bonnes assiettes ou qu'il inverse couteau et fourchette, et qu'on le lui fasse remarquer sur un ton sec. Quand il a fini son repas, il se lève, et commence à charger le lave-vaisselle, prend son verre vide, son couteau, sa fourchette, son assiette, les met soigneusement dans la machine, sans même regarder les couverts des autres, comme si, implicitement, chacun était responsable des siens et que, bien qu'implicite, cette logique était imparable, alors qu'on lui a déjà fait à ce propos des remarques. Celui-là est un réflexe dont il n'arrive pas à se départir. Comme s'il était convaincu trop profondément de son bien-fondé, de sa légitimité, pour pouvoir y renoncer. Il le pratique quand il est chez sa mère depuis trop longtemps.

Il a neuf ans, et il veut être policier. Quand on lui demande s'il sait comment on fait les enfants, il dit : « Oui. » Quand on demande comment on fait, il dit : « C'est une petite graine qui grandit dans le ventre de la mère, qui grossit et qui devient un bébé. » Quand on lui demande s'il sait comment la petite graine est arrivée, il répond : « Non. »

Il fait du sport, se brosse les dents après chaque repas, se douche le soir. Il sort de la salle de bain tout nu pour aller chercher son pyjama dans sa chambre. Quand sa mère lui dit au revoir dans son lit, elle l'embrasse sur la bouche ainsi que son frère et sa sœur, le lendemain matin quand elle l'emmène à l'école, elle marche à côté de lui, fièrement, bien dans sa peau, un turban fait ressortir la finesse de ses traits, ou bien elle laisse retomber sa chevelure sur ses épaules librement, elle l'entretient avec des produits naturels dont elle vérifie la composition avant de les acheter, dans le magasin où elle prend aussi le quinoa, le tofu et les galettes de céréales, elle les a allaités tous les trois jusqu'à leur entrée en maternelle, il n'a jamais porté à sa bouche la moindre miette de chair animale, quand il passe devant une poissonnerie, à la vue d'une crevette, il a pitié.

Le banquier

Il ironise avec ses petits yeux perçants et brillants sur ses confrères banquiers d'affaires qui ont tous une maison dans le Perche. Il a commandé au garçon une tasse d'eau bien chaude, avec une tranche de citron sur une petite coupelle à côté, et un whisky. Comme on le fait de sa propre famille, pour s'en démarquer, il se moque d'eux, et fait implicitement passer le message à sa maîtresse que c'est une critique chasse gardée. Ça suppose un savoir qu'elle n'a pas. Il a aussi une maison de campagne, mais pas dans le Perche. Son sourire indique que ces différences ne peuvent que lui échapper, lui sembler mineures, pas susceptibles d'être notées, alors qu'elles sautent aux yeux des initiés. Conscient de sa vue approximative de ces questions, de ses limites, il l'informe, la dégrossit.

Tout de suite après l'ironie, immédiatement, ou presque en même temps par un habile dosage, une moue dégoûtée s'imprime sur son visage : tous ces collègues banquiers d'affaires qui ne lisent pas !!... Un air de dégoût mêlé de déploration avec les traits qui s'amollissent, l'expression d'une souffrance qu'on ne peut avoir que pour ce qui vous est proche, un air qui prouve qu'il y a des distinctions à faire, que la caste en question est complexe, que tout ça, contrairement à ce qu'elle croit probablement, ne forme pas un bloc, que les plus exposés dont elle a entendu parler ne sont pas ceux qui font la loi, que le monde des puissants fourmille de catégories, est énorme, marginalise tout le reste, par exemple, le garçon de café qui plaisante avec elle, « joli parti que tu as là ! », tout ça, dans un fossé gris.

La vraie route, celle qu'il a prise, il en connaît le paysage, l'horizon et les ornières. Elle ne peut, elle, ni ironiser, ni comprendre, ni rire, ni être dégoûtée à bon escient, ni amollir ses traits avec la moue appropriée. Elle n'est pas en train de regarder une émission de télé sur les yachts privés, ce ne doit pas être un dégoût choqué mêlé de fascination. Lui, exprime un dégoût intériorisé.

Elle peut profiter de ses connaissances le temps de cette conversation, comme de son chauffeur qui peut la raccompagner pendant que lui rentre à pied pour s'aérer. Il lui conseille, puisqu'elle prend l'avion, d'arriver à l'aéroport au dernier moment, à moins, continue-t-il, aiguisant bien son regard, qu'en attendant l'embarquement elle préfère traîner dans les stands de Dior, Vuitton, Chanel, « toutes ces marques bêtes », dit-il en guettant sa réaction. Sa femme ne porte que des tailleurs-pantalons, l'hiver en flanelle, l'été en coton, de chez Jil Sander, gris anthracite, gris clair, bleu marine, quand il a une maîtresse dont il est amoureux, il ne lui offre pas de sous-vêtements en soie ou en dentelle pour son anniversaire, mais, après lui avoir proposé des bottes Hermès, et s'être ravisé, il l'accompagne chez Jil Sander, avec la carte de soldes qu'a reçue sa femme à la fin de l'hiver, en lui faisant remarquer qu'il ne l'emmène pas n'importe où, et, une fois dans le magasin, l'oriente vers un petit costume gris ou bleu marine à la sobriété masculine.

Le fils de quarante ans

Il montre à sa mère une Traction qui traverse la place, elle tourne la tête, tous les deux la suivent du regard jusqu'à ce que la voiture ait disparu, dans son enfance on en voyait encore, lui il était un petit garçon, et elle, elle était encore une femme jeune qui avait un petit enfant, elle lui dit :

— Tu sais, parfois quand je pense au passé, je me demande où tout ce monde est parti. Je me dis « mais où est ce monde que j'ai connu ? »

Il la regarde. Puis il ose :

— On s'aimait beaucoup.

— On n'avait que ça !

Il s'attendait à un long regard langoureux où elle aurait dit :

— Oh oui !

L'analysante

Il lui ouvre la porte, chemise blanche, pantalon clair, lui serre la main, elle pose son sac sur une chaise, puis s'allonge sur le divan. Il s'assoit derrière elle sur un fauteuil en cuir. Elle commence à parler. Comment s'est passé l'été, le retour des vacances, puis, au bout d'un moment, elle dit que l'année dernière, à la même époque, quand les séances avaient repris début septembre, elle espérait qu'ils pourraient en réduire le nombre par semaine, mais que cette année elle n'y songe même pas. Sa voix est nouée. Elle dit qu'elle n'en peut plus, qu'elle est à bout. Que tous les jours quand elle part de chez elle pour aller travailler, elle a l'impression qu'il faut qu'elle achète son ticket pour avoir le droit de vivre. Il se lève, il dit : « Très bien. » La séance est terminée, ça a duré un quart d'heure.

Elle marche dans la direction du métro, sur le chemin elle pense : « Acheter son ticket pour avoir le droit de vivre encore un peu, oui, on doit tous en être réduits à ça. » Elle tourne le coin de la rue : « Oui c'est ça, quel que soit le travail qu'on fait et la vie qu'on a. » Elle passe devant un magasin de scooters, plus elle marche plus la phrase se décline comme si des tiroirs s'ouvraient à l'intérieur, mais sur un rythme plus lent et plus calme que celui de ses pas, qui martèlent le trottoir, « vivre encore un peu, comme dans la chanson d'Édith Piaf », les pas résonnent sur le trottoir, elle se chante le refrain : « Mon Dieu, mon Dieu, laissez-le-moi, laissez-le-moi encore un peu, mon Dieu, mon Dieu laissez-le-moi encore un peu mon amoureux », elle ralentit au niveau de la boulangerie, elle regarde ce qu'il y a dans la vitrine. Il y a des flans aux abricots recouverts de gelée translucide, des amandines surmontées d'une cerise confite, au deuxième plan, derrière le comptoir, la boulangère voilée, et une autre femme, probablement sa mère ou sa belle-mère, voilée aussi, derrière elles les baguettes dorées, les pains au maïs, les galettes à la semoule. Elle n'entre pas, elle regarde, « acheter son ticket pour avoir le droit de vivre, encore un peu, c'est ça, oui, mon Dieu, mon Dieu, il faut acheter son ticket pour avoir le droit de vivre », pense-t-elle. Toutes les pâtisseries de son enfance sont là. « Laissez-le-moi encore un peu », elle chante encore intérieurement, Édith Piaf parle de son amant, elle c'est à sa vie qu'elle pense. Elle glisse des regards vers l'intérieur de la boutique, elle hésite à entrer, « Piaf c'est son amant mais ça peut être ce qu'on veut, ce dont on a besoin pour vivre, il faut acheter son ticket, pour tout le monde ça doit être pareil », les tiroirs continuent de s'ouvrir dans sa tête, les boulangères ne font pas attention à celle qui scrute leurs gâteaux derrière la vitrine, elle se dit « oui, quel que soit le travail qu'on fait, la vie qu'on a... ». Les millefeuilles sont alignés sur une plaque de carton doré, dessus il y a le sucre glace zébré de caramel, entre chaque couche la crème pâtissière déborde, dans la partie droite les flans brillent, sous la lumière électrique, dans la partie gauche il y a des pâtisseries orientales, collantes ou poudrées, amoncelées dans des paniers d'osier, elle ramène son regard vers la droite, elle plisse les yeux pour se concentrer sur la pâte des flans un peu trop épaisse, qui a l'air granuleuse, c'est la raison pour laquelle, chaque fois qu'elle passe devant cette boulangerie, après sa séance, même si elle hésite, elle n'entre jamais. Elle continue. Elle tourne dans l'avenue de la République, à l'angle où se trouve le Crédit mutuel, elle décrit un cercle plus grand que nécessaire pour ne pas passer trop près du clochard assis par terre à côté du distributeur de billets, puis la station de métro apparaît, devant le kiosque à journaux, elle descend l'escalier, entre dans le souterrain, fait passer son ticket dans l'appareil pour le faire poinçonner et déclencher l'ouverture du tourniquet.

Elle fait ce trajet trois fois par semaine. Les marches, la rampe, les couloirs, elle a des automatismes, quand le métro arrive, elle sait dans quelle voiture entrer pour être face à la sortie quand il sera à sa station. Elle s'assoit, sort un agenda de son sac, à la page du jour elle note « tous les matins c'est comme s'il fallait acheter son ticket pour avoir le droit de vivre encore un peu, pour tout le monde ça doit être pareil, quel que soit le travail qu'on fait et la vie qu'on a », elle le range, puis elle lève les yeux, elle observe à la dérobée le type qui est assis en face d'elle, il a de très gros doigts, de très gros doigts ronds, et des mains fortes, courtes, épaisses, alors que l'ensemble de son corps a des proportions moyennes, ordinaires, ses doigts sont de la taille d'un énorme cigare, et de la même couleur, elle jette un coup d'œil sur sa voisine pour voir si elle aussi regarde les doigts du type… mais non.

La petite fille qui donne la main

Dans la rue du magasin de jouets, elle tourne la tête vers la devanture, la femme qui lui donne la main tire son bras pour continuer d'avancer, le cou de la petite fille se tend dans le sens opposé, elle essaie de voir les masques d'Indiennes suspendus à un fil tout en haut de l'étalage, des masques avec deux longues tresses noires de chaque côté, la femme continue de tirer, mais son épaule résiste, son corps fait contrepoids, elle porte un petit manteau rouge, la femme lui dit que son oncle les attend pour déjeuner, qu'elle va faire de bons filets de poisson avec des pommes de terre sautées, qu'elles reviendront, elle remet sa tête dans l'axe, sans protester.

La demanderesse

Elle arrive dix minutes avant le début de l'audience suivie par une caméra de télévision, ses talons claquent sur les marches de l'escalier, qu'elle monte concentrée sur son objectif : que les torts dont elle se plaint soient reconnus par la justice. Les caméras la lâchent, puisque c'est la loi, à son entrée dans la salle. Elle s'assoit deux rangées derrière son avocat, la présidente résume le conflit qui oppose les parties, puis donne la parole à son avocat, qui la lui passe. Elle se lève de son banc, s'avance à la barre : « Bonjour madame la présidente. »

Elle dit qu'elle est une femme simple. Mais qu'elle se bat. Qu'elle se bat pour ses enfants. Que la partie adverse veut la tuer. Qu'elle ne sait pas pourquoi. Qu'elle ne lui a rien fait. Qu'elle ne comprend pas. Que celle-ci a complètement détruit sa famille. Qu'elle la harcèle. Elle dit : « J'ai voulu mettre fin à mes jours madame la présidente. » Elle retourne s'asseoir derrière son avocat. Puis, après deux heures d'audience, elle sort de la salle, et répond aux questions des journalistes qui la filment pendant que la partie adverse file.

Le célibataire

Il dit, en écarquillant les yeux, en penchant la tête sur le côté, en pinçant la bouche tout en souriant, et, avec un geste d'évidence des bras, par lequel il signifie qu'on peut tirer une loi de son exemple, que depuis qu'il vit seul, quand il va dans un dîner, il a remarqué qu'au moment où il part, c'est systématique, il y a toujours une fille qui annonce au même moment qu'elle part aussi !

La femme de quatre-vingt-deux ans

Elle est assise sur un petit fauteuil en cuir, face à une femme de cinquante ans. Elles sont dans un restaurant. La plus jeune est arrivée la première, elle a déjà choisi, elle prendra un saumon à la vapeur. Quand la deuxième est arrivée, elles se sont embrassées. Elles ont le même sourire, les mêmes paupières tombantes, les mêmes dents, c'est la mère et la fille. Elles n'ont pas les mêmes cheveux, pas la même silhouette, pas le même gabarit, pas la même structure de visage, celui de la plus jeune est allongé, celui de la plus âgée plus large avec les pommettes plus hautes, elle a les yeux clairs, la plus jeune a les yeux foncés. La plus âgée est plus grande, elle a des épaules plus larges, il y a quelque chose d'imposant dans son allure. La plus jeune lui dit : « Tu as l'air en forme, tu es magnifique. » La plus âgée répond qu'elle a mal dormi, que sa chambre d'hôtel était mal chauffée, elle a eu tellement froid qu'elle a dormi avec sa robe de chambre. La plus jeune lui dit qu'elle aurait dû téléphoner à la réception, râler. La plus âgée dit qu'ils lui ont promis d'augmenter la température. La plus jeune insiste, il faut qu'elle proteste, ce n'est pas normal. La commande a été prise, elles parlent déjà depuis un bon quart d'heure quand la plus âgée sort une enveloppe de son sac en disant : « Ah, mais j'ai quelque chose à te montrer ! » Elle en fait glisser une photo noir et blanc, qu'elle pose sur la serviette de la plus jeune. La plus jeune baisse la tête pour la regarder, et là, sans que la plus âgée comprenne pourquoi, tout à coup, elle éclate en sanglots. La plus âgée reprend sa photo, d'un geste rapide et sec :

— Ah ben non je la range alors. Je ne veux pas que tu pleures.

— Remontre-la-moi s'il te plaît.

La plus âgée repose la photo sur la table.

C'est un cliché en noir et blanc qui représente la plus âgée quand elle avait seize ans, avec un jeune homme à peu près au même âge qui la tient par l'épaule. Elle a la tête tournée légèrement vers le bord de la photo, vers quelque chose qui se trouve hors champ, tandis que le jeune homme regarde l'objectif, avec un air extrêmement heureux, un sourire très ouvert. Il a un sourire insensé. C'est un jeune homme de dix-sept ans, brun, il a un visage mince, son sourire est incroyable, son rayonnement extraordinaire, son corps est mince, la ceinture de son pantalon retient une chemise rentrée à la va-vite, c'est l'été, c'est l'après-guerre, il est amoureux de la jeune fille, ils vont se fiancer, il est heureux. Il habite Paris, il a connu la jeune fille dans la Creuse, la photo y a été prise. Ils se sont rencontrés pendant la guerre, il l'a aimée, il la trouvait magnifique, ils se sont revus après, et, là, au moment de la photo, ils vont se fiancer. Il a l'air de nager dans le bonheur. On ne peut sûrement pas être plus heureux qu'il semble l'être.

La plus jeune se remet à pleurer en plein milieu du restaurant. À cause de cet air si heureux. Elle connaissait l'existence de ce jeune homme, la plus âgée, sa mère, lui en a souvent parlé. Elle ne s'attendait pas à voir un visage aussi rayonnant, avec un sourire si merveilleux, quelqu'un qui avait l'air si heureux en tenant sa mère par l'épaule.

La serveuse arrive, pose l'assiette avec le saumon devant la plus jeune, la plus âgée range la photo pour la laisser poser devant elle l'autre assiette.

— Tu veux savoir ce qui m'a fait pleurer ?

— Mais oui, bien sûr.

— Tu m'avais toujours dit en me parlant de lui qu'il ne te plaisait pas, que c'était pour ça que tu avais rompu vos fiançailles. Et là je ne comprends pas, je vois un jeune homme qui est magnifique, qui a un sourire incroyable, qui est d'une beauté…

Les plats refroidissent devant elles. Avec un sourire un peu coquin, la plus âgée dit :

— Tu croyais qu'il était moche ?

Elle a le sourire de la belle femme qu'elle est depuis toujours, elle a quatre-vingt-deux ans, elle en fait quinze de moins, beaucoup d'hommes à qui elle n'a jeté que des regards rapides, le temps de vérifier qu'elle avait bien là une occasion de ne pas les considérer, ont été amoureux d'elle. Elle a été fiancée avec le jeune homme de la photo plusieurs années. Ils s'écrivaient, devaient se marier, elle a toujours dit à la plus jeune : « Il serait allé me décrocher la lune », avec le même petit sourire que maintenant malgré son âge et sa peau ridée. Un jour elle a cessé de lui écrire, les fiançailles ont été rompues. Le jeune homme, malheureux, a écrit à la mère de la plus âgée qu'il l'attendrait, qu'il comprenait, qu'elle était jeune, il l'a attendue longtemps, puis s'est marié.

La plus âgée avait rencontré le père de la plus jeune, en était tombée follement amoureuse, elle a voulu avoir un enfant avec lui, il acceptait à condition de ne pas le reconnaître, il ne voulait pas l'épouser, pas assez bourgeoise, trop juive, pas assez riche, pas assez cultivée, elle ne pensait pourtant qu'à lui, elle a continué après son départ et la naissance de l'enfant, tout en disant à sa fille des années plus tard, sur le ton de qui ne peut pas forcer sa nature, que sa vie aurait sûrement été différente si elle avait épousé le jeune homme avec qui elle était fiancée à seize ans et qui serait allé lui décrocher la lune, mais qu'il ne lui plaisait pas.

— Tu m'avais dit que tu n'aimais pas quand il t'embrassait, tu m'as toujours dit ça, tu m'avais dit qu'il ne te plaisait pas. Et là je vois cette photo avec ce jeune homme que je trouve magnifique. Je ne savais pas qu'il était si beau. Il était très beau.

— Il était surtout très gentil !

— Oui ça tu me l'as toujours dit. Mais tu ne m'avais pas dit qu'il était beau. Tu m'avais dit qu'il ne te plaisait pas.

La plus jeune se tait un instant, elle baisse la tête, comme si elle hésitait ou cherchait ses mots, puis :

— Tu veux que je te dise ce que je pense ? Et ce qui me fait de la peine ? Et que je comprends là tout à coup en voyant cette photo ? Tu attendais d'en rencontrer un méchant, tu attendais mon père, moi j'aurais préféré que ce soit ce jeune homme-là mon père.

Là, elle baisse la tête, et de nouveau elle se cache le visage avec sa serviette.

— Non… Pleure pas.

Les deux veuves

Face à face dans un restaurant spécialiste de saumon et de caviar dont elles connaissent la carte, elles venaient déjà avec leur mari de leur vivant et ont continué à le fréquenter, elles passent commande. Elles vont prendre une salade de haricots verts avec du foie gras, puis une pomme de terre au caviar avec de la vodka, elles se tutoient, elles se connaissent depuis toujours, elles parlent fort, celle qui est sur la banquette a appris qu'une de leurs amies était morte récemment, au cours d'un dîner organisé par une autre à l'occasion de son anniversaire. Celle qui est sur la chaise demande :

— Quel âge elle a maintenant ?

— Quatre-vingt-deux ans.

Celle qui est sur la chaise pousse un cri :

— Ah non ! Elle a sûrement pas quatre-vingt-deux ans. Sûrement pas.

Celle de la banquette lève les yeux de son assiette :

— Elle aurait combien alors ?

— Elle en a quatre-vingt-quatre ! Mais certainement pas quatre-vingt-deux.

— Je ne savais pas qu'elle avait quatre-vingt-quatre ans. Je pensais qu'elle en avait quatre-vingt-deux.

— Elle n'a pas quatre-vingt-deux ans, elle a, au moins, quatre-vingt-quatre ans, c'est impossible qu'elle en ait quatre-vingt-deux. Non non non.

La petite fille sur les planches à Deauville

Elle marche en regardant devant elle, les gens se croisent, s'ignorent, la plupart ont des lunettes de soleil, des couples se donnent la main, des adolescents passent à vélo, en skate-board, des jeunes filles se tiennent par la taille, des grands-parents se baissent vers des poussettes, des tricycles, un chien passe entre des jambes le cou attaché à une très longue laisse, son maître la dirige de loin en cliquant sur un dérouleur qui bloque ou qui donne du lest. Dès que le temps le permet, cette petite fille vient avec ses parents à Deauville. Ils y retrouvent des amis, elle joue au minigolf, elle fait de la trottinette sur les planches, sa mère l'emmène sur la plage quand il n'y a pas trop de vent, elle y fait des châteaux de sable, habillée bien chaudement, elle joue, quand il est là son père montre à son grand frère comment on manie les deux poignées d'un cerf-volant, et elle, les pieds dans les vaguelettes qui fondent dans le sable, elle remplit de coquillages son seau rose et blanc. Ils repartent, il est midi, elle marche, à côté de sa mère qui porte sa trottinette, en direction de leur restaurant de plage habituel, elle balance son seau au bout de son bras, pour un dimanche d'hiver l'affluence est à son maximum, il y a ceux qui descendent vers l'extrémité de la plage, et ceux qui remontent vers le centre comme elle et sa mère. Ceux qui descendent occupent les planches côté sable, ceux qui remontent vers le centre et le port de plaisance longent les cabines. Les deux groupes se croisent dans le bruit de sabot de leurs pas sur le bois, un tapotement irrégulier, un cliquetis arythmique et désaccordé, ils passent, les uns après les autres, comme les arbres qui défilent par la vitre, quand elle les regarde de l'arrière de leur voiture, en essayant de les compter et que ça va trop vite, dans la direction opposée à la sienne les gens marchent et disparaissent emmitouflés dans leur écharpe, les mains dans les poches, regardant devant eux, autour d'eux, ou au loin, et tout à coup, au milieu des promeneurs, dans le flux opposé : un homme noir. Il a une écharpe multicolore autour du cou, un blouson de cuir, il marche avec ceux qui vont vers l'extrémité de la plage. Elle le regarde. Elle le regarde, le regarde, le regarde… Elle ne détache pas les yeux du visage de l'homme noir, elle tire là main de sa mère : « Regarde maman, il est pas beau le monsieur ! » « Il ne faut pas dire ça », dit la mère après avoir jeté un rapide coup d'œil dans la direction indiquée, sur l'homme qui leur sourit de toutes ses dents.

Le chauffeur

Il est minuit, la voiture roule sur le boulevard de Sébastopol. Son passager lui demande s'il aime son métier, et s'il n'est pas trop fatigué. Ce qu'il aime c'est la qualité des personnes qu'il transporte, répond-il, en ajoutant qu'il a de la chance. Il a commencé sa journée à trois heures du matin en allant chercher son président pour l'accompagner à l'aéroport, il est revenu dans Paris qu'il sillonne depuis l'aube, il est allé chercher un acteur, dont il loue la courtoisie, l'a conduit à son tournage, puis dans une salle de projection des Champs-Élysées, après ils sont passés chercher un de ses amis, qui est maintenant sur la banquette arrière, et avec qui il parle, qu'il ne connaît pas, en tant qu'ami de l'acteur courtois son préjugé est favorable, pour les conduire tous les deux dans un théâtre en banlieue, le spectacle commençait à huit heures, il était sept heures et quart, ils étaient aux Champs-Élysées, malgré les embouteillages du vendredi il a trouvé un raccourci qui leur a permis d'arriver à l'heure, il a mangé dans un café pendant que la pièce se déroulait, ils ont repris la direction de Paris, il a raccompagné en premier l'acteur fatigué par sa longue journée, il est sorti de la voiture pour lui ouvrir de l'extérieur, il a attendu qu'il disparaisse dans le hall de son immeuble, il est remonté dans la voiture, sa journée n'était pas finie, il était convenu qu'il raccompagnerait l'ami, il a redémarré, il a entendu l'adresse, il a marqué son étonnement.

Le nom de cette rue ne lui disait rien. Celui de la station de métro non plus. Il ne connaissait pas, il ne conduisait jamais personne par là, malgré un nouveau détail, il ne voyait toujours pas, il a dit qu'il allait mettre son GPS, qu'il le mettait rarement. Et là, ils roulent boulevard de Sébastopol au milieu des rideaux de fer baissés. À l'approche de la gare de l'Est, les rideaux de fer baissés sont tagués, des silhouettes esseulées traînent sur les trottoirs avec des sacs en plastique à la main. À l'approche de Barbès, d'autres, avec des mines plus ou moins patibulaires, errent en tétant des canettes dans des sacs en papier ou en fouillant des poubelles, sur la banquette arrière le passager se tait. La voiture passe devant un cinéma qui vient d'être rénové, il y a des dorures, mais tout de suite après sur le trottoir un type égoutte sa queue, qu'il vient de sortir pour uriner dans un caniveau, le chauffeur sort alors de sa réserve : « Moi je pourrais pas habiter là », il marque une pause, il ajoute : « Même si on doit s'habituer. » En savourant le silence qui s'épaissit sur la banquette arrière.

L'adolescente

Dans la voiture, tout d'un coup, en passant devant la gare, elle décide de parler à sa mère, qui est au volant, de quelque chose qui l'inquiète, parfois, elle se demande si elle n'est pas homosexuelle car elle ne connaît aucun garçon, sans même tourner la tête vers elle, en faisant le tour du rond-point planté de fleurs qui se trouve devant la gare, sa mère rit :

— Pas du tout, t'as pas du tout les caractéristiques !

La dormeuse

Elle est dans un salon avec des fauteuils, des canapés, au milieu sur des tables basses, on leur sert un buffet de petites assiettes variées et assez nombreuses, il y a une vingtaine de personnes, peut-être moins, une quinzaine, des gens de l'édition, journalistes, écrivains, éditeurs, l'ambiance est décontractée, il n'y a pas d'objectif professionnel à cette petite fête. C'est le salon d'un hôtel, ils se connaissent tous plus ou moins, les rapports sont détendus, elle a repéré la présence de quelqu'un qui ne l'aime pas, qui, chaque fois qu'elle a un projet, fait tout pour le dégommer, et y parvient, il dit à qui veut l'entendre qu'elle est finie, qu'elle est dans une impasse, qu'elle est décrédibilisée, incapable de motiver une équipe, que personne ne veut plus travailler avec elle, qu'elle est dépassée, que tout le monde le sait. Ils sont éditeurs tous les deux, lui dirige une grosse maison, il a l'oreille des journalistes, beaucoup d'auteurs ont confiance en lui, il est spécialiste de philo et de sciences humaines, il est très influent, les syndicats professionnels l'écoutent, etc. Elle est sur un fauteuil assez éloigné du sien, mais la pièce est petite, entre eux il y a deux trois personnes sur un canapé, tous les sièges sont tournés vers le centre, occupé par une grande table basse, les gens tendent la main pour y prendre une petite assiette, ou un petit-four entre leurs doigts. Ils peuvent aussi faire une demande particulière à un serveur qui passe, de quelque chose qui n'est plus sur les plateaux et qu'ils ont vu dans une autre assiette.

Il y a des amis à elle, l'un d'eux est assis sur le rebord d'un fauteuil, un autre tend la main vers un plateau, un de ses auteurs est en train de rire aux plaisanteries que celui qui la déteste lui chuchote à l'oreille, elle n'est pas gênée par sa présence, lui non plus, ils font comme s'ils ne se voyaient pas. Dans ce genre de cas ils ont décidé, de manière tacite, depuis longtemps, de ne pas se voir. Ils font comme d'habitude. Comme si l'un était transparent pour l'autre. Chaque fois qu'ils se croisent dans un café, dans un magasin ou sur un trottoir, c'est ce qu'ils font, à plus forte raison dans un lieu fermé comme là. Ils s'ignorent.

Ils se connaissent depuis des années, l'éditeur influent travaille depuis longtemps dans la même maison, à ses débuts il n'y avait aucun pouvoir, ils ont dîné à cette époque un jour à la même table, dix ans plus tôt, chez un ami commun, au menu il y avait des pâtes au jambon de Parme et des poires au chocolat, ce soir-là un jeune professeur de littérature qui voulait devenir écrivain et qui l'est devenu expliquait que tel auteur incarnait le retour du roman à thèse et pourquoi c'était passionnant, puis la conversation avait tourné autour des derniers films, de l'opinion de chacun, du raisonnement qu'il y avait derrière, elle ne disait rien, elle n'avait pas envie de débattre, il avait été question de psychanalyse, le jeune professeur avait fait allusion à une actrice qu'il croisait dans le couloir de celui qu'il appelait son « psy », l'éditeur influent qui ne l'était pas encore avait répliqué : « Ah bon alors parce que toi aussi tu… » avec des points de suspension, et un petit rire suggérant que lui aussi, qui avait donné lieu à un rire général. Le dîner fini, elle devait prendre le métro, elle habitait vers Clichy, il prenait la même ligne, il s'arrêtait à Trinité, ils avaient marché ensemble jusqu'à la station, attendu ensemble sur le quai, pendant le trajet il lui avait dit qu'il appréciait beaucoup son travail, qu'il savait à quel point ses auteurs l'aimaient, qu'il admirait sa capacité à animer une équipe, et aimerait travailler avec elle, qu'elle pourrait s'occuper de la littérature lui des sciences humaines, que ce n'était pas lui malheureusement qui décidait, qu'il avait du mal à imposer ses choix, il avait plusieurs personnes au-dessus de lui, elle avait trouvé ça gentil mais ça lui était égal, pour elle à l'époque tout allait bien.

Un an après, il montait en grade jusqu'à devenir en quelques années directeur général de sa boîte. Et à partir de là, régulièrement, comme une fourmi minutieuse, dès qu'un auteur s'approchait d'elle, ou qu'elle avait un projet, il s'arrangeait pour le faire échouer, la décrédibiliser, et la dégommer.

Aujourd'hui, dans ce salon d'hôtel, elle est assise à deux fauteuils de lui. Elle ne dit rien. La grande table basse avec les petites assiettes est au milieu des gens. Un de ses auteurs est en train de rire avec son ennemi, un de ses amis lui touche l'épaule. Elle vient de demander à un serveur qui passait une tarte à l'orange, il arrive avec la tartelette sur une petite assiette, qu'il pose sur la table basse, tout près d'elle, à sa portée. Et là, sans réfléchir, avec les doigts repliés comme des griffes, sans se préoccuper que ses ongles deviennent noirs et collants, elle plonge les doigts, comme elle l'aurait fait d'une pelleteuse dans la terre, dans la garniture de la tartelette, elle l'arrache de son socle de pâte sablée, puis la lance, comme une boule de neige, sans donner d'explication à personne, à la face de son ennemi, qui la reçoit en plein visage. Autour, des pulls, des vestes, des cheveux se trouvent éclaboussés de bouts de gelée, des bouts de fruits restent accrochés aux tissus. Elle termine en jetant son verre d'eau sur le pull de ce type qui lui savonne la planche depuis des années. Et elle se lève de son fauteuil. Elle se met à parler. À l'assemblée. Elle leur explique son geste, elle raconte les circonstances qui le justifient. Elle est debout devant les tables basses. Elle raconte le dîner, les pâtes au jambon de Parme, les poires au chocolat, le retour en métro, elle à Clichy lui à Trinité, leurs propos en descendant l'escalier vers le quai, elle raconte tout ça avec rage. Et malgré sa colère, son emportement, elle sent que ça passe, que son explication porte. Tous savent que l'éditeur influent cherche à la détruire. Elle sent qu'elle fait mouche à chaque détail qu'elle ajoute. Ça l'étonne presque. On l'écoute. Tout le monde l'écoute. Semble intéressé. Le seul problème est sa nervosité. Elle ne maîtrise pas son exaltation. Ça ne retombe pas. Elle n'arrive pas à s'arrêter. Comme si elle ne savait pas d'où ses paroles venaient, qu'elle n'avait aucun pouvoir sur elles. On sent qu'elle ne discipline pas son flux. Ça la gêne pour respirer, c'est trop. C'est comme si trop de détails lui revenaient et qu'il était impossible de tous les canaliser. Son flux est trop rapide, trop cadencé, elle en dit trop, on ne voit pas la fin de son discours, son visage est rouge, le sang rougit sa peau, les gens commencent à être gênés, elle s'échauffe, sa voix est étranglée. On voit les veines battre dans sa gorge remplie d'émotions. Ses yeux lancent des éclairs. Est-ce que son cou ne va pas exploser ? Est-ce que la folie qui s'est emparée d'elle d'un coup ne va pas finir par l'asphyxier. Est-ce qu'il faut appeler des secours, quelqu'un pour la calmer ? On a l'impression que ses veines, ses bras, tout, le cœur, les artères, les poumons, la gorge, que tout ça est trop grand pour son corps, pour ses capacités respiratoires, pour sa cage thoracique, qu'elle va étouffer. Ses muscles gonflent sous son tee-shirt, ils sont trop tendus, on les voit durcir sous sa veste, au fur et à mesure qu'elle parle, le bas de sa colonne vertébrale, le sacrum, tout ça va finir par se casser, bientôt les os ne pourront plus bouger, les tendons sont trop durs, le moindre mouvement, même un éternuement, pourrait provoquer un déplacement des vertèbres. Elle a senti un craquement, elle se dit qu'elle va se casser le dos si elle ne se calme pas, son squelette va tomber, c'est l'impression qu'elle a, pourtant, elle continue d'alimenter son auditoire en paroles détaillées. L'histoire n'est pas terminée, avec sa main elle bat la mesure de ce qu'elle est en train de dire, ses doigts sont pleins de confiture poisseuse, sa main envoie valser, dans des grands gestes, des particules de gelée qui vont se fixer sur les lainages de ceux qui l'écoutent assis sur les fauteuils. Tout le petit brouhaha sympathique s'est arrêté dès qu'ils l'ont vue se lever, raide, comme un bâton musculeux, folle, avec des yeux comme du feu, et maintenant tous se demandent comment elle va faire pour retrouver son état normal. Là-dessus, elle se réveille. La respiration agitée.

Elle est dans son lit. Elle regarde l'heure. Sept heures et demie. Il faut qu'elle se lève. Elle attend que la tension retombe. Elle se retourne quelques minutes sur le côté, les yeux fermés, enfonce sa joue dans son oreiller. Sa respiration se calme. Puis elle se redresse. Elle pose les pieds par terre. Et elle se lève.

Elle sort de sa chambre, elle va dans la cuisine, elle sort la vaisselle du lave-vaisselle en préparant son petit déjeuner. Il y a de la poussière, ou du sable, qui crisse un peu sous ses pieds. Ça l'agace. Elle range dans un placard le linge qui était sur l'étendoir, et elle retourne avec son plateau dans sa chambre, pour boire son café et lire le journal. Elle a un coup de fil à passer avant de sortir, puis il faut qu'elle se prépare pour aller travailler. Elle prend sa douche. Elle s'habille. Elle y va. Elle prend le métro, elle en sort, un type avec des locks, assis par terre, lui demande si elle a un peu de monnaie pour qu'il puisse prendre un café, mécaniquement elle dit non.

Le chauffeur de taxi

Il demande au passager qui vient de monter dans sa voiture : « Vous avez vu la couverture du *Point* ?... Pépère est-il à la hauteur ? », il prédit que dans un an le président de la République sera parti, au plus tard, et qu'en tout cas dans un an ça ne fait pas un pli.

— Hmhh hmhh.

— Parce que même les gens comme moi de la classe moyenne sont prêts à descendre dans la rue. Ça va exploser. Les gens seront dans la rue.

Le passager se tait.

Il continue :

— J'ai jamais voté socialiste, je ne voterai jamais socialiste, mon père, qui était ouvrier, n'a jamais voté socialiste. Moi, même à dix-huit ans, quand j'étais fondeur-carrossier, je n'ai jamais voté pour eux, parce que je veux bien partager, mais pas si c'est sur ma feuille de paye. À l'étranger, on rigole de nous. Je suis allé en Russie. Il y a deux Russkoffs qui m'ont dit en apprenant que j'habitais Paris : « Ah oui Paris, on connaît, on y est allés. Chez vous c'est le tiers-monde. »

Il marque une petite pause afin que le mot « tiers-monde » résonne dans la voiture. Il reprend :

— Si ça continue je vais partir. Les touristes ne veulent plus venir chez nous. On est nuls. Je vais aller vivre en Martinique, enfin pas en Martinique…

— Pourquoi ?

— Parce que la Martinique c'est la France, j'irai ailleurs. Pas en France. En France ce n'est même plus la peine de travailler, si ça continue comme ça. Tous mes clients s'en vont. Aux États-Unis. Aux Indes. En Asie. Il y en a beaucoup qui partent aux Indes. Il faut quelqu'un qui ait de la poigne ici.

Le passager est presque arrivé, le chauffeur tourne dans sa rue :

— Demain il va faire beau, ils ont prévu vingt et un ou vingt-deux degrés.
— Vingt-trois même.

La documentariste

Pour le décor elle veut un canapé rouge en velours râpé, des coussins éventrés, et un rembourrage qui jonchera le sol, elle prépare un documentaire sur le viol, des femmes qui ont été violées viendront témoigner, elle veut tourner dans un endroit qui évoque un grenier, elle voudrait qu'il y ait un plafond taché par endroits, mansardé, avec un papier peint à fleurs, aux couleurs défraîchies, éteintes, passées, elle voudrait que les bords soient décollés, déchirés, de façon à ce que ça représente... réfléchit-elle à haute voix, pendant que son équipe prend des notes... : « une mémoire dévastée ! », lâche-t-elle, ravie d'avoir trouvé.

L'héritier

Né dans une famille d'industriels, héritier de la quatorzième fortune française, il évoque dans sa plaidoirie, avec une feinte révérence, l'« immense

Talent » de son adversaire, en faisant si bien claquer les dentales, de Talent et de sTaTure, que ses postillons atteignent les magistrats, puis, il parle de ses efforts besogneux à lui d'ouvrier du Droit dont le client est au chômage et qui, ajoute-t-il avec des trémolos dans la voix, habite en HLM.

Les femmes de chambre

Elles arrivent à deux dans la chambre, parlent entre elles à voix basse dans leur langue maternelle pour ne pas gêner les occupants, elles ont un foulard vert pâle, noué sous le menton, qui leur couvre les oreilles et le haut du front, elles portent un pantalon blanc, elles sourient, parlent poliment, refont le lit, disposent les oreillers sur les draps qu'elles ont remontés jusqu'en haut du matelas, puis elles vont dans la salle de bain, changent les serviettes de toilette, font couler l'eau dans le lavabo, tapent les tapis, remettent en place la natte centrale en raphia, quand les occupants leur demandent quelque chose, elles se font répéter ce qu'elles n'ont pas entendu ou pas compris, elles le redisent, elles sortent de la salle de bain, l'une va dans les toilettes où elle tire la chasse d'eau, l'autre retourne dans la chambre, prend le plateau du petit déjeuner posé au sol, avec le beurre qui a fondu au soleil, les deux tasses en porcelaine posées en équilibre sur une assiette, dans laquelle un seul des petits pains à la semoule a été entamé, les deux verres de jus d'orange et les deux théières qui ont été vidés, elles referment la porte discrètement pour ne pas déranger.

Le commissaire de police à la retraite

Il est assis dos au mur à sa table habituelle. Il demande à son invitée de se retourner, il veut son avis sur l'éventuelle homosexualité de la femme qui vient d'entrer dans le restaurant. Puis raconte l'histoire d'un type de son âge, qui va au bureau de tabac, achète des cigarettes, se rend compte dans la rue, en ouvrant le paquet pour en prendre une, que dessus est écrit « Fumer rend impuissant », retourne alors au bureau de tabac, et dit au buraliste : « Donnez-moi celui avec "Fumer tue". » Elle connaissait déjà l'histoire, mais elle rit. Il sourit, la conversation se poursuit, elle lui pose une question sur lui, il répond par une très longue introduction pour arriver à la conclusion que sa vie n'a rien d'extraordinaire, que sa génération n'a rien fait avancer, que des destins individuels ont progressé, que certains ont fait des carrières, des fortunes, que des choses ici et là ont été accomplies, peut-être, mais que les inégalités ont augmenté, que la société d'aujourd'hui n'a fait aucun progrès notable par rapport à celle d'hier, que par conséquent il n'est pas particulièrement fier de la vie qui a été la sienne, même s'il est très respecté, et continue malgré son âge de faire autorité, elle opine, il continue à développer. Chaque fois qu'il avance un argument, il le modère par l'idée inverse, comme si, consciencieusement, il cochait sur un catalogue toutes les options possibles, les soutenait, les assemblait par paire, les mettait dos à dos, puis les rejetait, de façon à ce qu'émane de lui une parole aussi souple qu'un roseau dans les vents contraires. Ou comme si, rédigeant un procès-verbal, il s'efforçait de n'omettre aucune circonstance, et surtout pas la plus impondérable, celle qu'il appelle « le cœur ».

— Est-ce que je peux vous poser une question ?

— Je vous en prie.

— Je viens d'avoir trente-huit ans, et, vous savez, je vous en ai déjà parlé, j'ai subi un inceste de la part de mon père. J'ai réfléchi, je voudrais porter plainte, même si les faits sont très anciens. Je crois que ce sera bientôt prescrit, mais je n'ai pas bien compris à partir de quand court le délai, si c'est à partir des faits ou à partir de la majorité. Je voulais vous demander si vous pourriez me conseiller. Me dire ce que je dois faire. Sachant que je ne supporterais pas de perdre. Est-ce que je peux porter plainte à votre avis, malgré les délais ? Vous pensez qu'il y a des chances qu'il soit inculpé ? Ou est-ce que je perds mon temps ?

— Ce que vous avez fait avec votre père est beaucoup plus répandu que vous le croyez.

— Excusez-moi, je vous interromps, mais... je n'ai rien « fait » avec mon père, j'ai subi quelque chose.

— Bien sûr. Mais vous n'avez pas été élevée avec lui, ce n'est pas comme si vous l'aviez été. C'est très banal vous savez. Très fréquent. Et ça touche tous les milieux, c'est beaucoup moins exceptionnel que ce qu'on pense. Vous seriez surprise de connaître les statistiques de la police. Vous pouvez porter plainte, bien sûr, et si vous le faites je téléphonerai à un de mes anciens collègues pour qu'on ne vous laisse pas sans nouvelles, mais, les faits étant anciens et impossibles à prouver, il y aura un non-lieu, c'est à peu près sûr. Votre père sera convoqué. Ce qui n'est jamais agréable, personne n'aime être convoqué par la police, mais ça en restera là. À vous de voir si ça vous suffit de lui occasionner cette petite frayeur. Il n'est pas impossible qu'il n'y ait aucune conséquence sur sa respectabilité. Sa famille ne sera sans doute même pas au courant de la convocation. Il faudrait que vous vous souveniez des lieux dans lesquels ça s'est passé. Qu'on puisse retrouver des témoins qui auraient remarqué quelque chose. Des hôteliers, des restaurateurs. Alors là il pourrait être jugé, et peut-être condamné, il pourrait y avoir des conséquences, mais avec un tel recul dans le temps c'est peu probable. Est-ce que vous pouvez vous retourner discrètement, regardez... le ministre de l'Éducation, là, qui devait être dans un salon privé et qui va sortir du restaurant.

Il adresse un sourire au ministre, celui-ci s'approche de leur table, un homme grand, au visage rond et aux cheveux frisés, le commissaire lui présente la jeune femme, le ministre la salue, part après que les deux hommes se sont serré la main en se promettant de déjeuner. Il déguste une boule de glace à la vanille en lui disant qu'elle a eu tort de ne pas en prendre, puis, il demande l'addition, il paye, et ils sortent à leur tour. Un couple qu'il connaît est assis en terrasse, il leur serre la main, s'arrête un instant, c'est un couple qui vient là tous les jours, en voisin, ils habitent à côté, il leur présente son invitée, puis, voyant le paquet de cigarettes sur leur table, leur raconte l'histoire « fumer tue fumer rend impuissant », le couple, qui ne la connaissait pas, éclate de rire franchement.

La jeune mariée

Elle ne dit jamais « mon mari », elle n'y arrive pas, elle dit le prénom, elle élude, elle fait des périphrases, « la personne avec qui je vis », ou autre chose. Elle est pourtant mariée, elle porte le nom du jeune homme, mais rien que le mot « mon mari » et l'idée de le dire la font rire, comme si elle jouait une comédie. Ça lui rappelle la pièce dans laquelle elle a joué enfant, en colonie, elle avait été choisie par le garçon qui jouait le chef des pirates pour jouer sa femme, elle devait dire en public « fais bien attention à toi mon chéri ». Elle l'avait dit, mais contre son gré. Comme si elle savait que cette scène préfigurait sa vie future, une vie où on ne se sent pas mariée alors qu'on l'est, et que personne ne vous y a forcée. Elle ne dit « mon mari » qu'à des administrations par téléphone. Elle est contente de faire l'amour. Elle le fait sans ressentir de désir, il y a une part de mécanique, même si la jouissance l'estompe et la justifie. Juste après, elle a parfois un petit moment de colère. Elle se voit dans la glace face à la douche, elle a envie de couper ses seins ou de les gifler. Elle rêve d'avoir les moyens et le courage de se faire opérer pour qu'ils soient plus petits, imperceptibles sous ses pulls ou ses tee-shirts, malgré les jouissances qu'ils lui donnent quand son mari prend le bout entre ses doigts, ressentir ça lui fait de la peine pour la jeune femme qu'elle est.

Elle a appris à faire la cuisine très tard. Pendant longtemps, tout ce qu'elle a su faire ç'a été ouvrir du jambon de Bayonne sous cellophane, un paquet de chips, une boîte, et mettre une jolie nappe, sa mère ne lui avait rien appris. Elle ne lui avait pas demandé, pensant qu'elle ne saurait pas se débrouiller, elle n'était pas habile dans ses gestes, même pour faire bouillir de l'eau elle ne savait pas comment on faisait. Elle ne savait même pas faire un œuf à la coque. Un jour, elle a noté dans un petit carnet des recettes que sa mère faisait, qu'elle trouvait faciles, ou qui lui plaisaient. Elle a gardé le carnet. Et quand elle s'est installée avec son mari, elle l'a mis sur une étagère. De temps en temps elle le feuillette, elle avait fait un index, elle avait numéroté les pages, pour pouvoir retrouver facilement chaque recette, soufflé au fromage, gratin de pâtes, melon au porto, oursins, spaghetti, œufs brouillés, omelettes, champignons, pommes de terre sautées, crêpes au fromage, croque-monsieur, pain perdu, far au four, poires Belle Hélène, œufs au lait, gâteau aux pommes, biscuit de Savoie, clafoutis, tarte gratinée aux épinards, pizza, salade niçoise, riz, elle ne connaissait tellement rien qu'elle avait écrit pour le riz qu'il faut mettre un grand volume d'eau salée à bouillir et quand elle bout le jeter en pluie, puis laisser cuire et ne jamais le laisser séjourner dans l'eau après la cuisson, elle a marqué « la cuisson doit être précise », elle a tout marqué, elle a marqué qu'il faut égoutter, servir avec du beurre, du citron, elle avait noté tout ça sous la dictée de sa mère, il y a salade de fruits, haricots verts, elle a écrit « équeuter les haricots verts et les couper en deux, faire cuire à l'eau bouillante salée une demi-heure, sans couvercle pour que les légumes conservent une couleur bien verte, égouttez, servez avec du beurre frais, citron », artichauts, elle a mis « la cuisson se fait à l'eau bouillante salée, avec un quartier de citron ou une cuillerée de vinaigre, trente-cinq minutes environ, sans couvercle, un torchon replié posé dessus, pour les empêcher de remonter et de cuire hors de l'eau, la cuisson ne doit pas être excessive, en vérifier le degré en détachant une feuille du bord, elle doit venir facilement, les retourner pour les égoutter complètement, une fois cuits ils doivent être consommés dans les vingt-quatre heures », ratatouille, court-bouillon de poisson, poissons sur le gril, meunière, en friture, à la poêle, au four, cabillaud, maquereaux, roussette, sardines, œufs farcis, compote de prunes, tarte Tatin, pâte brisée, quiche lorraine, petits pois, escalope à l'estragon, macaroni au gratin, mousse au chocolat, sauce blanche. Aujourd'hui, dans les pages restantes, elle note les plats étrangers qu'elle découvre quand ils partent en vacances, la moussaka, les lasagnes, la salade grecque, le tarama.

Ils ont décidé de se marier un jour qu'ils se promenaient en forêt. Ils se sont dit qu'ils voulaient passer leur vie ensemble, marcher côte à côte comme ça toute leur vie. Ils ont parlé de leur vieillesse, de leur avenir lointain. Il lui dit souvent qu'il a une rêverie, et que de temps en temps il s'y laisse aller : il les voit vivant dans un appartement qui donne sur la Seine, un appartement avec une immense verrière. Il la voit déambuler dans les pièces avec un ensemble en soie vert bronze, fluide, pendant que lui regarde le fleuve par la verrière. Il lui décrit sa vision, le passage des péniches, le tombé de son ensemble en soie, la souplesse du tissu, sa beauté qui éclate. C'est une rêverie, qu'il fait éveillé, il est sûr qu'un jour quelque chose comme ça va se réaliser.

Elle ne supporte pas son absence. Elle n'aime pas quand il part plusieurs jours. Parfois, même une journée, elle trouve ça trop long. Elle appréhende de rester seule. Quand il va travailler, elle a parfois du mal à le voir partir. Quand il s'absente quelques jours, il lui dit « sache, que s'il m'arrive quelque chose, ma dernière pensée aura été pour toi ». Ils restent souvent de longues minutes les yeux dans les yeux, convaincus d'être la survivance des grands couples romantiques qui ne peuvent pas se quitter d'une semelle. Ils parlent des heures et des heures sans se lasser. Ils ne s'ennuient jamais ensemble. Quand il dit « je serai de retour à dix-neuf heures » il est de retour à dix-neuf heures. Même s'il est dans une autre ville, et qu'il a eu de la route à faire. Elle sait qu'elle peut compter sur lui. La plupart des filles qu'elle connaît sont encore à la recherche de l'homme de leur vie, alors qu'elle, elle sait qu'elle l'a trouvé, même si elle se dit qu'elle aurait peut-être préféré qu'il soit autrement, plus attirant.

Au mariage d'un de leurs copains, elle a eu un coup de foudre pour le frère de la mariée, un peintre, pendant toute la soirée, il y a eu des échanges de regards, et une chaleur qu'elle sent encore dans le bas du ventre quand elle y pense.

La représentante

Tout en caressant le petit chien blotti contre elle, un chihuahua, qu'elle a choisi sur Internet avant d'aller le chercher, le cœur battant, dans sa grosse voiture noire, chez des éleveurs dont la propriété se situait à trois cents kilomètres de chez elle, elle dit aux invités qui dînent sur la terrasse au bord de la piscine qu'elle va faire enlever le tatouage sur son coup-de-pied, elle a des sandales ouvertes, c'est l'été, en toutes saisons elle porte des talons hauts, elle met des robes, des jupes, elle se maquille les yeux et la bouche, et parle, comme d'un fait indiscutable, de son appartenance aux lesbiennes de la catégorie lipstick. Elle caresse le petit museau du chihuahua, son poil ras. Puis elle prend la petite chienne délicatement sous le ventre, et la fourre sous son tee-shirt, elle l'y laisse un instant, elle propose un café aux invités, elle pose le petit animal par terre, se lève, va vers la cuisine, épaules baissées et bras ballants, comme encombrée de ses mains qui se balancent au rythme de sa foulée. Elle revient avec les tasses à café, les pose sur la table basse en osier, recouverte d'un plateau en verre fumé, la petite chienne se met sur ses pattes de derrière, et cale son museau sur le verre.

— Il n'y a rien pour toi là.

Dit-elle en soulevant les petites pattes du bord de la table. Elle explique à leurs amis que cette petite bête est gourmande mais que son corps est vite rassasié, l'un d'eux dit :

— Tu as toujours eu des animaux ?

— Toujours.

En général, dans les dîners, c'est sa compagne qui parle. Elle, sur son visage, flotte une distance mélancolique, soudain éclairée par quelque chose qui vient d'être dit autour de la table, qui l'illumine, la fait sourire, la première couche s'effaçant alors pour laisser paraître la sous-couche de ses pensées, qu'elle ne livre pas, à moins que la question lui soit posée.

Assise à côté d'elle en bermuda, sur le canapé en rotin de leur salon de jardin, avec un sourire à la fois tendre et réprobateur, sa compagne dit qu'au départ, elle, elle ne voulait pas de cette chienne, mais qu'elle est très gentille, qu'elle s'en occupe quand son amie part en tournée, que ça se passe bien. Celle-ci reprend la petite bête dans son giron, la caresse, l'invitée qui lui avait posé la première question lui en pose une deuxième :

— Quand tu étais petite aussi ? Tu aimais déjà les animaux ?

Elle s'apprête à répondre. Sa compagne lève les yeux au ciel sans qu'on puisse deviner le sens de son expression, émotion, ou exaspération.

— Oh oui, j'ai ramené de tout à mes parents. Hérissons, lapins, chats, chiens, tortues, poissons.

— Qu'est-ce que tu aimes chez les animaux ? Pourquoi tu les aimes ?

Son menton se met alors à trembler. Son visage est grave et les larmes commencent à lui monter aux yeux. Elle a remis la petite chienne sous son tee-shirt, elle en caresse la forme à travers le tissu :

— Si je devais perdre cette petite chienne, je serais perdue.

Elle la sort de son vêtement, elle en caresse le museau, les flancs, l'espace entre les oreilles. Sur ses genoux le petit chihuahua ferme les yeux, silencieux.

— Les animaux, ils te donnent tellement. Dans mes moments de souffrance, c'est eux qui m'ont aidée le plus ! Ils sont toujours là, ils sont toujours contents de te voir ! Toujours heureux quand tu rentres après ta journée de travail ! Parfois il y a qu'eux qui ont envie de te voir. Ils sont là. Ils te signalent l'heure de la promenade. Même quand tu es fatiguée. Même quand tu n'as pas envie de sortir, et encore moins d'aller te promener. C'est grâce à eux que tu tiens !

Elle sourit puis se réassombrit :

— Ils souffrent les animaux, les gens ne le comprennent pas. Ils ne font pas attention. Quand un couple s'engueule, ils vont se cacher.

Sa compagne acquiesce, soudain sérieuse :

— C'est vrai, quand on se dispute toutes les deux elle va se cacher.

Elle regarde la main de son amie qui ne cesse d'aller et venir sur le poil ras du petit animal.

Les invités s'étonnent :

— Ah bon ? C'est vrai ?

Les doigts se baladent toujours sur le pelage :

— Bien sûr qu'ils souffrent quand on se dispute. Si on est en bas, elle va à l'étage. Si on est dehors, elle rentre. Si on est dedans, elle sort. Quand ça va mieux, elle réapparaît. Ben oui. Et personne ne leur explique ce qui se passe. Personne ne se rend compte de cette souffrance. Personne ne leur dit que ça va aller mieux, que ce n'est rien, qu'il ne faut pas qu'ils aient peur.

Sur ses traits il y a une expression de gravité, d'authenticité, c'est la première fois que l'attention se focalise sur elle toute une soirée :

— C'est pour ça moi je ne peux pas être heureuse dans ce monde, parce que je sais qu'il y a plein d'animaux qui souffrent, et que je n'ai pas le courage de faire quoi que ce soit pour les aider.

Elle s'interrompt, pour arrêter un sanglot qui monte. Reprend :

— Quand je rencontre quelqu'un qui aime les animaux, il y a aucun sujet qui puisse me faire entrer en conflit avec cette personne. Ça, ça fait partie des choses qui peuvent me rendre heureuse, oui. Mais sinon, c'est une souffrance d'aimer les animaux.

Elle sourit pour perdre le pli amer qui arrive sur ses lèvres.

— Ils sont tellement gentils, et il y a tellement de gens qui leur font du mal. En conduisant, l'autre jour, j'ai vu deux canards qui traversaient l'autoroute, j'ai été obligée de m'arrêter, je ne pouvais plus conduire. Je me suis mise sur le bord de la route et j'ai pleuré. Ils n'ont aucune chance les animaux dans ce monde, aucune.

Elle craint que quelqu'un qui aurait repéré la petite chienne entre dans leur maison et la vole. Elles dorment portes et fenêtres fermées même en plein été, quand il fait quarante degrés, elles habitent dans le Sud, mais toutes les nuits, sa compagne et elle ferment toutes les fenêtres et tous les volets avant d'aller se coucher.

L'animatrice de télévision

Avec une serviette blanche autour du cou qui protège sa chemise de la poudre, l'écrivain lui jette un coup d'œil latéral dans le miroir, juste le temps de ressentir à quel point il la méprise, puis il détourne les yeux. Alors qu'elle, star de la télé invitée dans une émission littéraire pour son premier roman, salue tout le monde en lui adressant dans la glace un sourire particulier. Il se sent obligé de répondre par un battement de paupières. Il les referme pour laisser faire la maquilleuse, mais l'animatrice pose la main sur son accoudoir, se penche vers son oreille, et lui dit l'honneur que c'est pour elle d'être invitée avec lui dans cette émission. Sur un ton feutré en accord avec l'émotion qu'elle dit ressentir, elle ajoute qu'elle a lu son livre d'un trait la nuit dernière, sidérée par sa force dont elle est encore imprégnée, elle parle la gorge serrée, elle lui dit que c'est un livre important, puis ils entrent sur le plateau. Interrogé en premier, il parle de son roman, puis dans un souci d'équilibre escomptant qu'elle va redire en public ce qu'elle a chuchoté dans la salle de maquillage, il fait l'éloge du sien en utilisant un fond de vérité qu'il amplifie, le début l'a saisi ou quelque chose comme ça. Surpris, le présentateur renchérit, ajoute que c'est un compliment de poids venant de lui. L'écrivain confirme qu'elle a beaucoup de talent, beaucoup d'humour, le sens de l'observation, un style agréable, il se renfonce dans son fauteuil, et savoure à l'avance l'effet que vont produire les paroles de l'animatrice sur ses ventes quand elle va redire en public qu'elle a lu le sien d'un trait, ne pouvait pas le lâcher, n'en a pas dormi de la nuit, en est encore bouleversée. Le présentateur lui passe la parole. Elle sourit, remercie l'écrivain, dit qu'elle a en effet beaucoup travaillé cette première scène, et continue sur son propre livre pendant tout le reste du temps qui lui est imparti. D'un côté, il admire la manœuvre, mais d'un autre, dans le taxi du retour, il se sent sale. Il arrive chez lui et, quand il voit son reflet dans le miroir de l'ascenseur, il se trouve ridicule dans sa petite chemise cintrée.

L'homme séparé

Il a rendez-vous au métro avec la femme dont il vit séparé depuis quelques mois, et elle arrive, bronzée. Ils s'embrassent sur les joues, commencent à marcher à la recherche d'un café, pour parler de l'inscription de leur fille dans sa nouvelle école, ils marchent côte à côte, en silence, mais il remarque qu'un type assis dans une voiture à l'arrêt la suit des yeux derrière son pare-brise.

Il marche un pas devant ou un pas derrière elle, à cause d'un feu rouge, d'un rythme qui se désaccorde, d'un passant qui le fait ralentir, ils pourraient ne pas être ensemble malgré leurs presque quinze ans de vie commune et tout ce qui les relie. Tout à coup, ils s'arrêtent tous les deux.

Ils ont vu quelque chose sur leur droite, un bâtiment public incendié dont ils avaient vu les images à la télé, ils sont devant la façade éventrée, derrière les murs calcinés on aperçoit le sommet des arbres. D'un mouvement naturel, comme ils l'ont toujours fait l'un et l'autre, en même temps, ils sortent alors leur téléphone portable, photographient la façade.

Lui – Tu fais toujours des photos ?

Elle – Ben oui tu vois. Toi aussi ?

Lui – Oui. C'est incroyable non cette façade ? C'est fou cet incendie.

Elle – Ouais, c'est fou.

Ils reprennent leur marche à la recherche d'un café. Il y a encore un homme qui la regarde sur le chemin.

Lui – On va où ? Tu veux pas qu'on s'arrête là ?

Elle – Il y a un café un peu plus loin que j'aime bien…

Lui – Ah, tu cherches un endroit particulier ?

Elle – Oui il y en a un qui a ouvert récemment près du Panthéon…

Lui – Je vois que tu as toujours le chic pour dénicher les bons endroits. Tu n'as pas perdu l'envie pour tous ces trucs-là. Je suppose que c'est très bien, mais je sais pas si on va marcher jusque là-bas. J'ai surtout envie qu'on se parle dans un lieu calme. Je t'avoue que j'ai d'autres urgences en ce moment dans la tête que de chercher un café branché. Tu ne veux pas qu'on entre là plutôt ? Regarde. C'est tranquille…

Elle – Si tu veux. Ou sinon on va à la brasserie où on allait avant…

Lui – Ok.

Ils y vont, ils s'assoient face à face, le silence dure encore un peu, il tourne son visage vers la vitre…

Elle – Tu me regardes pas !?

Lui – Comment ça je te regarde pas !?

Elle – Je sais pas mais tu me regardes pas. Pourquoi tu me regardes pas ?

Lui – Je te regarde.

Elle – Non. Tu regardes ailleurs.

Lui – Non, je te regarde. Je vois que tu es hyperbronzée. Je me dis que tu as dû passer tes vacances au soleil. Je vois que tu as l'air en forme. Je te regarde. Je te vois. C'est pas facile de trouver les mots c'est tout. Mais si, je te regarde, t'inquiète pas.

Elle – Je m'inquiète pas.

Lui – Oui oui je sais que tu t'inquiètes pas. Mais je te regarde. Peu importe que tu t'inquiètes ou pas. Je te vois. Même si je ne suis pas en train de te fixer.

Elle – Non tu me regardes pas. C'est pas ça regarder quelqu'un. Tu as un regard fuyant.

Lui – J'ai pas un regard fuyant. Je regarde la rue. Mais je te regarde quand même. Mes yeux bougent. T'en sais rien de ce que je regarde.

Elle – Tu m'as jamais vraiment regardée.

Lui – Comment ça je t'ai jamais vraiment regardée ?!

Elle – Oui. Tu m'as jamais vraiment regardée. C'est la vérité. J'ai jamais senti dans ton regard que tu m'aimais.

Lui – Ah bon ? C'est ce que tu penses ?

Elle – C'est ce que je pense oui. En tout cas on ne voyait pas dans ton regard que c'était un regard amoureux. C'était pas le regard de quelqu'un qui te désire, à qui tu plais, pour qui t'es importante.

Lui – Ah bon ? ! C'est comme ça que tu ressentais les choses !?

Elle – Oui.

Lui – Pendant quinze ans tu as jamais eu l'impression quand je te regardais que j'avais un regard amoureux ?

Elle – En tout cas sûrement pas dans les dernières années. T'avais pas un regard amoureux.

Lui – Écoute, tu peux pas dire ça, je crois qu'il faut que tu trouves un autre terme. Dire que j'avais pas un regard amoureux, si vraiment c'est ce que tu penses, je sais pas pourquoi on est resté quinze ans ensemble. Tu peux dire ce que tu veux. Pas ça. C'était peut-être pas un regard permanent. C'était sûrement pas un regard fixé sur toi tout le temps, mais tu ne peux pas dire que je n'avais pas un regard amoureux, non, ça tu ne peux pas le dire, je ne te laisse pas dire ça. C'est un mot qui blesse, et j'ai pas envie d'être blessé. J'ai pas envie qu'on se blesse.

Elle – Tu as raison. Je voulais pas te blesser. C'était sûrement pas volontaire de ta part, mais c'était ce que je ressentais. Et ça fait sûrement partie des choses qui font qu'on n'est plus ensemble. Pour moi en tout cas. Mais mon intention n'est pas de te blesser, du tout. Et tu as raison il faudrait sûrement trouver un autre terme. Pour parler de ce que je trouvais plus dans ton regard.

L'amie d'enfance

Elle se souvient de vous, vous étiez une petite fille réservée, vous aviez souvent l'air triste, vous aviez une fragilité, une distance, vous étiez vampirisée par des jeunes filles de bonne famille, il n'était pas facile de vous approcher, vous étiez toutes les deux dans la même classe, elle se rappelle votre mère, elle vous avait rendu visite dans l'appartement que vous habitiez à la ZUP, elle se souvient de la 4L rouge, quand votre mère allait vous chercher à l'école, elle vous revoit avec votre queue de cheval, votre petit sourire énigmatique, elle vous rappelle qu'elle était petite, blonde, qu'elle avait les cheveux longs. Elle a vu des photos de vous sur Internet, vous avez toujours les mêmes yeux, elle vous a reconnue grâce à votre regard, des souvenirs lui reviennent, une image, gravée dans sa mémoire, le coffre de la 4L avec la plaque d'immatriculation qu'elle connaissait par cœur, les lettres qui ressemblaient à FD ou ED, votre mère vous attendant à la sortie de l'école, vous souriant, sa silhouette dans un manteau beige, avec des dessins géométriques, elle se rappelle aussi votre appartement, dans son souvenir il y a des tons chauds, rouge, brun, or, elle a une image de vous dans le gymnase de l'école, vous vous tenez droite, devant un pilier, vous vous apprêtez pour le saut en hauteur, vous allez vous élancer, vous êtes prête à franchir la barre qui ne devra pas tomber, elle se souvient que vous sautiez 1 mètre 15 ou 1 mètre 20, vous étiez douce, calme, souriante, comme vous viviez seule avec votre mère elle imaginait que votre père était capitaine au long cours, pilote d'avion, chercheur au pôle Nord, qu'il ne rentrait que pour les vacances, elle revoit « Pompidou » écrit à la peinture en grosses lettres dégoulinantes sur le portail de l'école. Les critiques qu'elle a vues sur vous, dans des forums de discussion, sont pour elle de la méchanceté pure, elle est catastrophée, elle est fière d'avoir été dans votre classe, vous dit-elle, ces personnes n'ont rien compris à rien, vous qui êtes si fragile et sensible, comme il faut que vous soyez forte pour supporter cela, vous décidez de vous revoir, vous la retrouvez dans un bar d'hôtel, vous lui demandez de parler d'elle. Mais elle répond qu'il n'y a rien de particulier à dire, et elle parle de sa vie au passé, elle dit qu'elle a eu une petite vie tranquille, que c'était la vie qui lui convenait. À ce moment-là elle vous regarde bien en face. Et pendant qu'elle vous fixe, vous comprenez que vous auriez aimé avoir une vie calme, dans la ville où vous êtes née, dont vous parleriez comme elle au passé.

La femme abandonnée peu de temps après sa naissance

— Ma colère contre ma mère dure depuis longtemps.

— Depuis combien de temps ?

— Depuis toujours. Mais aujourd'hui j'essaye de comprendre pourquoi je suis tellement en colère contre elle.

— Pourquoi, tu penses ?

Les deux femmes se parlent face à face, très près l'une de l'autre, on ne les entend pas aux autres tables, elles se regardent dans les yeux, et leurs visages sont sérieux.

— Avant, ma colère contre ma mère était dans l'ombre de celle que j'avais contre mon père. Ma colère contre lui s'est calmée depuis que je l'ai rencontré. Et celle contre ma mère a augmenté. Elle augmente encore. Elle, elle est morte, je peux plus la rencontrer. Ma colère augmente en ce moment.

— Pourquoi, tu crois ?

— Ça a à voir avec l'attente. Quand je suis là à attendre qu'il m'arrive quelque chose, que quelqu'un me propose du travail, j'ai l'impression d'être comme elle, dans la même attente que celle dans laquelle elle a été toute sa vie, à attendre son prince charmant, à rêver de voyages, chaque fois que je pense ça, ça me met en colère. Est-ce que c'est génétique l'attente ? Mon père, c'était différent. Lui c'était mon trou noir. Je ne comprenais pas pourquoi je n'avais personne à qui m'adresser en tant que père biologique. C'était quelque chose comme « pourquoi tu oses ne pas être là toi ? »

— Et la colère contre ta mère, elle est comment ? Qu'est-ce que tu penses du fait qu'elle t'ait abandonnée ?

— Je pense qu'elle ne pouvait pas faire autrement.

— Pourquoi ?

— Les projets qu'elle avait, de se marier, de partir à l'étranger, étaient plus forts. Et moi je ne faisais pas partie du projet.

— Qu'est-ce que tu penses du fait que tu ne faisais pas partie du projet ?

Elle se fige. Ne répond pas. Elle semblait parler facilement, elle n'articule plus aucun mot. Puis au bout de quelques minutes, elle se met à pleurer.

L'autre dit :

— Pardon.

Elle sort un mouchoir de son sac, elle se tamponne les yeux et elle sourit :

— Non non, ça va.

— Tu es sûre ?

— Oui.

— Tu veux qu'on parle d'autre chose ?
— Non non ça va.
— Tu es sûre ?
— Sûre.

Le parricide

Il donne à la juge, qui lui demande son adresse, celle de son père défunt place Saint-Sulpice, d'une voix posée. Elle lui demande sa situation, il dit étudiant, études d'art et de philo, bac littéraire, mention bien. En accord avec son avocat, il se présente au jury comme un adolescent déprimé qui a eu une idée morbide, qu'il a eu le tort de confier à la mauvaise personne, un Noir du Gabon fasciné par la mort, son meilleur ami de l'époque, qui a voulu assouvir ses besoins meurtriers.

Le soir du meurtre, il téléphone à son père pour qu'il ouvre la porte au Gabonais sous prétexte que celui-ci a oublié son casque. Il est convenu qu'il entrera et le poignardera, la veille ils ont acheté l'arme ensemble, un marteau américain à double pointe, dans un magasin de bricolage. Le jury doit déterminer si l'étudiant est coupable de *coaction* de l'homicide de son père avec préméditation, ou de simple *complicité* d'assassinat par « aide, assistance et fourniture de moyens ».

Les psychiatres expliquent à la barre que le Gabonais est né de père inconnu, et d'une mère qui l'a abandonné chez sa grand-mère paternelle où il a été maltraité et violé par ses cousins jusqu'à l'âge de huit ans, que tous les adultes sont donc maltraitants à ses yeux, qu'il a exécuté le projet qu'avait son copain, tuer son père, sans doute pour tuer celui que lui n'a pas eu. La présidente et les deux assesseurs sortent délibérer.

Quand ils reviennent dans la salle d'audience, les deux garçons savent qu'ils risquent la perpétuité. Ils sont assis côte à côte dans le box des accusés. Le Gabonais porte un tee-shirt noir moulant, le fils un gilet gris boutonné, tout le monde se lève pour la lecture du verdict : le Gabonais est le seul assassin, sans lui il n'y aurait sans doute pas eu de crime, le fils n'est que complice. Au cours de l'enquête, les expertises ADN ont révélé que le père n'était pas son vrai père, ni lui ni son père ne le savaient, mais ça dépend de ce qu'on appelle « savoir », et sa mère qui est dans la salle d'audience lui sourit pour le rassurer.

Le président de jury

Tous les jurés, l'un après l'autre, sans s'être concertés, en arrivant dans le restaurant pour le dîner de délibération, tout de suite après lui avoir dit bonjour, ajoutent avec un sourire ironique « président », ou « cher président », sans qu'il puisse départager si c'est par dérision uniquement de ce statut de pacotille qui ne lui donne aucun pouvoir que celui de devoir jouer les maîtres de cérémonie, ou par réelle considération pour le fait d'avoir été choisi cette année par le fondateur du prix, qui, tout au bout de la table en fer à cheval, commande de l'eau, du vin et des assiettes de charcuterie, puis lui cède la parole. Chaque année, le président conduit les débats, et organise la soirée au cours de laquelle les prix seront remis aux lauréats.

Il explique qu'en ouverture, il prévoit de s'entretenir quinze minutes avec l'auteur du livre qu'il a préféré, un livre qui traite de ce que c'est d'être au milieu d'un groupe auquel on ne se sent pas appartenir en dépit des signes extérieurs. Un des jurés l'interrompt, en lui faisant remarquer qu'il sera donc sur scène en continu pendant quinze minutes. Il en convient, mais dit qu'il préfère faire ça et retourner s'asseoir, plutôt que de monter sur scène toutes les cinq minutes pour présenter les livres de la sélection en racontant des blagues comme l'avait fait, « de façon magistrale » précise-t-il, le président de l'année dernière, lequel réplique aussitôt : « Tu veux dire en faisant le clown ? », les autres éclatent de rire.

D'une manière générale il y a des esclaffements à tout instant. La secrétaire du prix est assise à sa droite. À sa gauche, se trouve la seule femme du jury, elle-même assise à côté du meilleur ami du fondateur, qui, dans l'espace entre le dos de la femme et le dossier de la banquette, glisse au président qu'à son avis s'entretenir avec un auteur en ouverture est une bonne idée, il ajoute que les membres du jury parleront après, que lui n'étant pas suffisamment narcissique ne souhaite pas venir sur scène. Quelqu'un parle de l'absence répétée d'un des jurés, année après année, certains proposent de l'exclure puisqu'il ne vient jamais, la femme ajoute qu'il fait toujours ça, qu'elle appartient à d'autres prix dont il est censé faire partie auxquels il ne vient pas non plus. L'ami du fondateur fait une plaisanterie qui amuse le président, dans l'espace entre le dos de la femme et le dossier de la banquette tous les deux rient.

Puis c'est le premier tour de table. On va savoir qui a aimé quoi. « Qui commence ? » dit quelqu'un, « la parole ça se prend », dit un autre, un des jurés se lance. La secrétaire lui donne la liste des livres sélectionnés. À propos du premier il dit que c'est un livre sur « la génération ridicule », celle à laquelle il appartient, concède-t-il, qu'il est raté, le sujet pas traité, ou, mal traité, le président rétorque que bien sûr le sujet n'est pas traité puisque ce n'est pas ça le sujet, mais ce n'est pas relayé, ça tombe à plat. Le deuxième juré dit qu'il y avait trop de livres dans la sélection sur la déprime ambiante, n'arrivant pas à la dépasser, trop proches de l'autobiographie, mais qu'il a, cependant, aimé tel livre dont il dit quelques mots. C'est maintenant au tour de la femme, elle dit qu'elle n'a aimé que tel livre, le seul à se poser des questions de style et à y répondre. L'ami du fondateur dit qu'il l'a aimé aussi. Le fondateur dit la même chose. Jusqu'à ce qu'un autre juré, qui n'avait pas encore parlé, dise d'un ton très assuré en détachant chaque mot, en ne souriant pas : « Je-déteste-ce-livre », il adresse un regard acéré à la femme qui n'en aime aucun autre en disant que c'est un livre prétentieux, nul, que c'est rien, qu'il n'y a pas de sujet, et que ça ne dit rien sur l'humain. Le président, qui pourtant l'a aimé aussi, se tait, il dit juste « mais si, il y a un sujet, le sujet c'est revivre ». Sa remarque est accueillie d'un vague rire. Le juré qui a dit « je-déteste-ce-livre » en détachant les mots ajoute que le sens c'est important, que ce livre n'en a aucun. La femme lève la main en demandant si elle peut répondre, elle dit que si, il y a un sens, et un propos sur l'humain, que l'humain se trouve confronté dans ce livre non plus à une seule définition de la personne et à une conception monolithique de son être, mais est traversé par les actes divers, contradictoires, qu'il doit accomplir. Quant au sens, elle ajoute que l'art ce n'est pas le sens, mais la destruction du sens. Le fondateur dit en le regardant « si j'étais le président je noterais cette discussion qui est passionnante ». Le président prend son stylo, note sur un papier « sens », « destruction du sens ». Un autre juré prend la parole, mais il s'interrompt brutalement pour dire « si ça t'emmerde ce que je raconte… » à la secrétaire qui parle à voix basse avec son voisin, elle s'excuse, elle était en train de lui dire quelque chose à propos du dépouillement. Il reprend. Avant d'être membre de ce jury, il ne s'entendait pas avec celui qui a dit « je-déteste-ce-livre », là ils ont les mêmes avis, le même ton, le fondateur utilisera ce rapprochement plus tard pour orienter le choix final. Pour l'instant il ne dit pratiquement rien, il est le seul personnage vraiment influent de cette assemblée, pour l'instant il ne fait que ponctuer. À propos du livre qui fait débat, celui qui a fait la remontrance à la secrétaire dit qu'à cinquante ans son auteur continue de se comporter comme un adolescent. Le président finit par dire : « Et alors ? » Mais l'autre poursuit : « On annonce toujours les livres de cet auteur comme des chefs-d'œuvre mais on se retrouve avec ses brouillons. » La formule fait rire tout le monde autour de la table en fer en cheval, qui occupe tout le premier étage du restaurant où se déroule la réunion, sauf le président et la seule femme qui eux ne rient pas. Toute la soirée est émaillée de plaisanteries qui fusent. Ceux qui en disent le plus sont celui qui a fait la remarque à la secrétaire, et celui qui a pris la parole en premier après avoir dit « qui commence ». Et ceux qui rient le plus, le fondateur et son meilleur ami.

C'est le moment du vote, après avoir éliminé les livres qu'une ou deux personnes seulement ont aimés, la secrétaire distribue les nouvelles listes réduites aux noms des derniers sélectionnés. Le tour de table commence à la droite du président, se termine à sa gauche, puis elle appelle des taxis. Celui qui lui a fait la remontrance et le président habitent le même arrondissement, ils montent dans la même voiture, calé sur le dossier de la banquette arrière, le premier entreprend l'éloge du livre que le deuxième vient de publier, en lui disant que c'est un chef-d'œuvre, il lui explique pour quelles raisons jusqu'à ce que leur taxi arrive à destination.

La motarde

Il y a une grosse moto dans la cour de sa maison, une Harley, quand il fait beau le week-end elle part avec son copain, ils en ont chacun une, et s'ils veulent rouler en bande ils sont inscrits dans des rallyes. Ils s'y étaient fait des amis, deux couples, ils les ont invités l'un après l'autre. Ils sont arrivés chez eux les mains vides, leur ont rendu l'invitation tardivement en leur demandant d'apporter quelque chose, ils ont eu l'impression d'être pris pour des pigeons, ils ne les ont pas revus, disent qu'ils ne supportent plus l'étroitesse d'esprit des gens de leur région.

Pour eux, leur ville est une ville morte. Il n'y a pas d'entreprise, pas d'embauche, pas de consommation, rien pour les jeunes, ils n'en peuvent plus de l'amateurisme des journalistes du quotidien local, son copain en veut pour preuve la fois où ils interrogeaient les automobilistes arrêtés à un feu rouge à propos de la directive européenne sur les phares blancs et les phares jaunes, il avait dit au journaliste qu'il s'en fichait, le lendemain, dans le journal, il y avait une photo de lui avec une légende prétendant qu'il préférait les phares jaunes. Ça lui a permis d'imaginer ce que ça pouvait être rapporté à une autre échelle. Ils se moquent de la mairie qui a fait construire un zénith auquel les tourneurs refilent ce qu'ils appellent des merdes. Aide-soignant à l'hôpital, il se sent méprisé par sa direction, ignoré par les médecins, elle, elle travaille à la Sécurité sociale, de temps en temps elle regarde encore les avis de mutation, elle pense qu'elle aurait dû partir, mais qu'il est trop tard, elle regrette de ne pas en avoir eu le courage. Il a acheté une petite maison à la sortie la ville, qu'il retape. Mais le soir, quand il est couché, il entend des pas au-dessus de sa tête qui viennent du grenier. Ils pensent qu'elle est hantée. Elle a fait des recherches sur Internet pour connaître l'histoire de cette maison, mais n'a encore rien trouvé.

La femme le matin

Elle se penche vers vous, vous fait la bise, commande un café au serveur qui s'est dirigé vers votre table en la voyant s'installer, tout au fond de la terrasse, face à la grande esplanade ensoleillée, elle s'assoit, enlève son manteau, et pose son grand sac plein de toutes sortes de choses, livres, Filofax, carnets, tablette, sur la chaise face à la banquette. Vous êtes côte à côte, vous tournez la tête l'une vers l'autre. Elle demande si vous travaillez bien en ce moment. Vous dites que vous en avez marre, que parfois vous aimeriez faire autre chose. Elle vous regarde, incrédule, goguenarde, recule dans le coin de la banquette, comme pour mieux vous considérer, s'appuie au dossier pour marquer son étonnement, et rit comme si vous aviez dit une énormité. Vous gardez l'air sérieux, vous le répétez :

— Si si je t'assure, ce n'est pas une pose, je le pense vraiment.

— Et qu'est-ce que t'aurais fait ?

— Je ne sais pas, j'aurais bien aimé aider des gens, faire un travail social, sans doute j'aurais pu avoir une profession comme ça où on aide les gens, j'en ai marre parfois, j'aurais sûrement aimé avoir une autre vie. Pourquoi pas ?

— Je comprends. Je comprends parce que moi...

— Tu aurais voulu faire autre chose toi aussi ?

— C'est pas exactement ça. Non. Mais, tous les matins quand je sors de chez moi, je regarde qui il y a dans la rue, et j'imagine que je suis une des personnes que je croise.

— C'est-à-dire ?

— Quand je sors de chez moi le matin pour aller travailler, je choisis une personne parmi celles qui sont dans la rue, et j'imagine que je suis elle. Pendant tout le temps que dure mon trajet jusqu'au bureau. J'ai une demi-heure de métro, j'imagine que je suis quelqu'un d'autre pendant une demi-heure.

— C'est-à-dire ? Explique-moi.

— J'imagine que je suis la personne que je viens de croiser le matin. Et dans ma tête je détaille toutes les choses concrètes que j'aurais à faire si j'étais elle.

— Tu fais ça tous les matins ?

— Tous les matins depuis trente ans. J'ai commencé à le faire en allant au lycée.

— Comment tu fais ?

Le serveur passe avec les consommations de la table voisine sur un plateau, elle le hèle et commande un verre de vin blanc.

— Je prends quelqu'un qui me plaît, qui se trouve dans la rue quand je sors de chez moi, ou que je vois sur le quai du métro, et pendant tout le trajet je me raconte que j'ai sa vie.

— Pourquoi tu fais ça ?

— Parce que le matin quand je vais au bureau, plutôt que d'avoir ma vie, j'ai envie d'en avoir une autre. Et que à ce moment-là, je n'aime pas ma vie. Je préférerais avoir n'importe quelle vie plutôt que la mienne, quand je sors de chez moi le matin. À ce moment précis. Je préférerais être n'importe qui plutôt que moi. Alors pour tenir, pour continuer, pour y aller quand même, pour supporter que ce soit ma vie, je me dis que je suis quelqu'un d'autre, quelqu'un que je choisis, parmi les gens qui sont là. Ça m'aide à tenir le temps du trajet. Et à aller faire ce que j'ai à faire.

— Mais je comprends pas. Tu aimes pas ce que tu fais ? !

Elle marque une pause :

— … Le matin, j'ai pas envie d'y aller en tout cas.

Elle marque encore une pause, puis elle reprend :

— Après ça passe. Une fois que je suis sur mon lieu de travail je n'y pense plus. J'ai plus du tout envie d'être quelqu'un d'autre. Je suis dedans, je suis lancée. Ça va. C'est vraiment le matin quand je pars travailler que c'est difficile. Au moment précis où je sors de chez moi pour commencer ma journée. Je sais que je vais être exposée et qu'on va me juger. Ça me fait peur. J'ai peur de ne pas être à la hauteur. De ne pas y arriver.

— Comment tu fais pour choisir la personne ?

Le serveur revient avec le verre de vin blanc qu'elle a commandé. Il le pose devant elle. Elle ne le regarde pas, elle tend sa main, le porte à ses lèvres, en boit une gorgée, et le repose.

— Je regarde qui se trouve dans la rue. Je fais mon choix. Comme j'habite Belleville, tous les matins je prends le boulevard de la Villette pour aller au métro, ça dépend de qui je vois sur le boulevard. Ça peut aussi bien être une des prostituées chinoises qui finissent leur nuit qu'une des infirmières qui fument à l'extérieur du dispensaire, ou la boulangère derrière son comptoir, ou la fleuriste, la factrice, ça dépend de ce qui m'accroche sur le moment.

— Tu tombes toujours sur les mêmes ou tous les jours tu prends quelqu'un de nouveau ?

— Je sors toujours à la même heure donc ce sont plus ou moins les mêmes personnes, si c'est une infirmière du dispensaire, j'en choisis une parmi celles qui fument dehors, je me dis : « Je fumerais ma clope. Ça serait cool. » « Après je retournerais faire ce que j'ai à faire, il y aurait un côté un peu chiant, je m'ennuierais un peu, mais… »

— Ça t'empêche pas de continuer de savoir que tu t'ennuierais ?

— Non. Ça ferait partie de ma vie.

— Et quand t'arrives au métro qu'est-ce que tu fais ? Tu continues avec la même personne jusqu'à ta station ? Ou tu en prends une autre ?

— Ça dépend. Si j'ai quelqu'un qui peut me tenir tout le trajet, je garde la même personne, sinon je choisis quelqu'un d'autre sur le quai. Ça dépend de la force de l'identification que j'ai avec la première. S'il y a quelqu'un qui me plaît plus sur le quai, je le prends. Et je le garde jusqu'à mon lieu de travail. Je ne pense pas à la journée qui m'attend pendant ce temps-là. Quand je me dis que je suis une infirmière, ou la factrice ou quelqu'un d'autre, le fait de penser que je pourrais m'ennuyer ne m'empêche absolument pas de préférer son activité à la mienne, d'avoir envie d'être elle. Je me dis : « J'aurais pris le RER tôt le matin, j'habiterais en banlieue, j'aurais déposé mes enfants à l'école, ou à la crèche, et… »

— Ça peut être qui d'autre ? Il y a qui d'autre dans ta rue ?

— Ça peut être une prostituée chinoise. Si c'est une des prostituées qui sont encore sur le boulevard à cette heure-là, je lui attribue des enfants, j'imagine où elle a dormi, ce qu'elle a mangé pour son petit déjeuner, ce qu'elle va faire de sa matinée, les discussions qu'elle a avec ses copines prostituées, j'invente des répliques, des dialogues, je pense à ce qu'elle a laissé en Chine, à qui elle envoie de l'argent…

— Et tu penses à ce qu'elle se dit en te voyant toi ?

— Éventuellement.

— Moi quand je croise une prostituée en sortant de chez moi, il m'arrive de me demander ce qu'elle pense en me voyant. Si elle me méprise, si elle se demande ce que je pense d'elle. Ou si elle en a rien à foutre. Si j'existe pas. Si elle considère que je fais partie d'un autre monde, que je suis dans le paysage, c'est tout. Que je ne peux pas la comprendre. Et tu leur parles jamais ?

— Non.

— Tu fais ça tous les matins ?

— Oui. Pour arriver à oublier que je suis moi, il faut que ce soit quelqu'un qui m'intéresse vraiment, dont j'arrive bien à imaginer la vie quotidienne.

Elle commande un deuxième verre. Le serveur ramasse le premier, il le pose sur le plateau au milieu du fatras de tasses, de bouteilles vides, de citrons coupés et de cendriers.

— C'est devenu une méthode pour affronter ma vie, le lendemain ça recommence de la même façon.

— Une méthode ou une drogue ?

— Les deux. J'ai commencé à faire ça sur le chemin du lycée quand je suis venue vivre à Paris. J'avais quinze ans. C'était la première fois que j'habitais sans mes parents. J'étais chez ma grand-mère.

Au début, je le faisais les jours d'examen, ou quand j'avais un devoir à rendre, et puis, peu à peu, je me suis mise à le faire tous les jours.

— Tu te souviens des gens que tu choisissais à l'époque ?

— Oui. Un fleuriste avait ouvert dans la rue de ma grand-mère. C'était une rue où il n'y avait rien d'autre. C'était la première boutique qui s'ouvrait. Quand je passais à huit heure et demie, c'était encore fermé, mais la fleuriste était déjà là, elle sortait les plantes, elle les disposait sur le trottoir. Et moi je me disais que j'étais elle. Que je disposais les pots de fleurs... Ensuite, exactement comme je la voyais faire, avec un baquet d'eau froide, je me disais qu'à la fin, quand j'avais fini mon étalage, j'arrosais mes plantes et qu'en même temps je nettoyais le trottoir, qu'il y avait des rigoles qui serpentaient jusqu'au caniveau. Quand j'avais tout installé et tout nettoyé, j'imaginais que je déversais dans le caniveau ce qui restait d'eau au fond du baquet, exactement comme je la voyais faire elle, elle vidait ce qui restait d'eau au fond du baquet sur la chaussée, et pour moi, ce mouvement du baquet d'eau vers le caniveau, à l'époque, ça me paraissait...

Elle rit.

— ... le comble du bonheur.

Le serveur apporte un nouveau verre, le pose, elle le prend sans le regarder, le porte à ses lèvres, et le repose.

— Mais ça pouvait aussi être le facteur, la boulangère, la concierge, toutes les personnes que je voyais à cette heure-là, ça ne pouvait pas en être d'autres puisque les autres je ne les voyais pas. Je suis tellement habituée, maintenant je fais plus attention. Mais ça peut aussi être léger. Quand ce que j'ai à faire dans la journée ne m'angoisse pas trop. Ça peut même être un plaisir. Ça peut être un jeu.

Elle finit son verre, elle en recommande un autre au serveur qui pose un croque-monsieur sur la table à côté avant de repartir à l'intérieur du café.

— T'en as jamais parlé à personne ?

— Non, jamais.

Le serveur revient, et met son verre sur la table.

— Ce que je préfère c'est deux femmes ou deux filles ensemble. Écouter ce qu'elles se disent.

Le petit chien affolé

Les portes du métro viennent de se refermer sur lui, il doit être perdu, il est tout seul, il a l'air affolé, il cherche une issue, il reste devant la porte, puis il court, il cherche une autre porte, il revient devant la première, puis il retourne devant l'autre, il passe sous les sièges, il court d'un côté, il court d'un autre côté, il se faufile entre les jambes, il ne sait pas où aller, il court partout, il a l'air affolé, mais son regard n'est pas paniqué, il a un regard doux, ce qui révèle sa panique, ce sont ses petites pattes qui courent partout, il y a une femme assise sur un strapontin qui le suit du regard les larmes aux yeux.

Le professeur d'anglais

De loin, on peut croire que c'est un de ses étudiants, qui part à la fac à vélo avec son sac en bandoulière sur le dos. Quand on le croise dans les rues piétonnes de sa ville, en train de faire le marché, il a toujours sa silhouette d'adolescent. Il est mince, il fait de longues foulées, il a toujours les mêmes mouvements d'épaules, la même démarche qu'avant, qui trahissent son manque de confiance en lui, sa timidité.

Il a toujours les énormes enceintes qu'il s'était payées à dix-huit ans en travaillant pendant des vacances d'été. Et il a gardé sa collection de vinyles. Il était fou de rock anglais et d'Angleterre. Quand il était adolescent, il avait dans sa chambre des meubles d'inspiration anglaise, en acajou, qu'il avait choisis lui-même, bibliothèque à croisillons, bureau à écritoire en cuir vert, chaise en acajou. Ses parents habitaient près de la cathédrale, au quatrième étage d'une résidence, sa chambre donnait sur la façade, son père était receveur des postes, sa mère ne travaillait pas. Il avait une immense discothèque, faite de casiers superposés qu'il avait construits lui-même.

Quand on venait le voir dans sa chambre, il disait en montrant ses disques :

— Il y en a là-dedans des heures de rêve !...

Il avait tous les Pink Floyd, tous les Genesis, tous les Beatles, tous les Stones, tous les Yes, tous les Joni Mitchell, tous les Beach Boys, tous les Bowie, tous les Henry Cow, tous les King Crimson, tous les Bob Marley. Il jouait de la guitare. Il portait des vestes de treillis. Il avait une écharpe en laine qui traînait presque par terre, des jeans en velours, des pulls et des tee-shirts serrés, des foulards indiens autour du cou, parfois des bijoux, il avait les cheveux longs, et pour cacher un menton un peu trop fuyant il s'était fait pousser la barbe. Il n'était pas très beau, mais il avait de l'allure, de l'énergie, du charme, c'était impossible de s'ennuyer avec lui. Il parlait de musique, il parlait de cinéma, des heures, il parlait des livres qu'il avait lus, il adorait son prof de philo. Il voulait être prof d'anglais depuis ses douze ans, depuis son premier séjour en Angleterre. Après le bac, malgré les conseils de son père, qui voulait qu'il fasse autre chose, il s'était inscrit en fac d'anglais pour passer son Capes. Il était comme chez lui entre la cafétéria et la bibliothèque de la fac de lettres. On repérait sa haute silhouette de grand jeune homme tout au bout des couloirs. Il voulait partir à l'étranger, enseigner, voyager, vivre ailleurs, écouter de la musique, avoir suffisamment de vacances pour profiter de la vie, découvrir des pays, lointains, des villes étrangères, des façons de vivre, des paysages nouveaux, tout l'intéressait, il lisait les journaux, il les commentait avec ses copains, autour d'un feu de cheminée, il fumait de l'herbe occasionnellement, le week-end, entre copains, il avait essayé les champignons, pour en faire l'expérience, il s'intéressait plus au rire et au partage qu'à la perte de contrôle, ou alors légère, de courte durée. Il avait une voix grave, chaude, douce, quand il voulait se faire respecter, il en montait le ton, pour montrer que sa douceur avait des limites et qu'elles venaient d'être atteintes.

L'aide-cuisinière

Elle a passé sa journée à porter des marmites très lourdes dans les cuisines de l'hôpital, quatre heures et demie, elle rentre chez elle, elle allume la télé qui se trouve devant la fenêtre à côté de la bibliothèque, un grand meuble en teck, qui prend tout le mur du fond, avec des rayonnages ouverts sur lesquels sont posés des cadres photo et des objets, et d'autres, vitrés, sur lesquels sont alignés reliés en cuir vert, les Giono, et en cuir orange, les Guitry, conseillés par sa demi-sœur, à cette heure-là il n'y a rien à la télé, elle traverse le couloir, elle va dans la cuisine pour trouver quelque chose à grignoter, elle passe devant les tableaux de paysages peints par son mari, forêts enneigées, sous-bois avec l'écorce des arbres en relief, villages de petites maisons serrées autour d'un clocher, clairières ensoleillées, elle se ravise, fait demi-tour, plutôt que d'ouvrir le frigidaire, elle décide de téléphoner à sa voisine qui les a invités à prendre l'apéritif le lendemain, pour lui demander ce qu'elle peut apporter, le vendredi précédent c'étaient eux qui les recevaient, le mari de la voisine avait pris du champagne, le bouchon avait sauté, s'était retrouvé dans son décolleté, elle avait ri, l'avait retiré, le lui avait rendu, et il l'avait tendu à son mari en disant « tiens, prends, il est tout chaud », ils s'invitent chacun leur tour une fois par semaine, d'une maison à l'autre les plats circulent remplis de petits-fours et de canapés tartinés, recouverts d'une feuille d'aluminium pour les protéger le temps de traverser l'allée.

Le lecteur de journaux

Son père était résistant et communiste, il n'est pas naïf, il n'est dupe de rien, il remarque tout, il est courageux, il dit ce qui doit être dit. Il s'intéresse au monde dans lequel il vit, à la politique, aux rapports entre vie privée et espace public, il est marié à une jolie brune aux cheveux longs, il est heureux, il joue au tennis, il a un appartement à Trouville, il déteste les mondanités, il va dans les cocktails uniquement pour contrôler sa notoriété et en observer la courbe, s'en amuser, sur la table du café, un gros paquet de journaux est empilé sous son coude, il tourne les pages d'un magazine, à la recherche d'un article qu'il veut vous montrer, mais en le feuilletant, il tombe sur une pub de montre avec une photo en noir et blanc de Steve McQueen, il replie alors le journal, et, photo apparente, tient le magazine au niveau de son visage, en souriant, les yeux plissés, vous laissant constater la ressemblance.

La suiveuse

Elle joue avec une bande de sa classe dirigée par une fille qui fait chef de file, entraînant les autres derrière elle, toute une bande qui court à sa suite, dont la suiveuse. Tout à coup, sa sœur aînée l'attrape au vol, et la retire de la file qui court :

— Tu ne vois pas que cette fille vous commande ? Il faut que tu arrêtes de jouer avec elle. Il faut que tu arrêtes tout de suite.

— Mais moi je m'amuse bien.

Elle se fiche que sa sœur ait honte de la voir courir en bande derrière la chef de file, elle continue, sans penser que les copines de sa sœur la voient suivre celle qui a rallié toute une meute. Elle fait partie de l'essaim, et elle y retourne. Elle rit, elle s'amuse, elle fait le tour de la cour de récréation en courant et en criant.

Le mort

On ne savait jamais s'il pensait ce qu'il disait. On se demandait toujours s'il y avait un double fond, un double jeu. Il disait peut-être la vérité à d'autres, tout en nous faisant croire que c'était à nous qu'il la disait. On avait l'impression d'être manipulé. On n'en était pas sûr. On avait l'impression qu'il se forgeait une attitude. On se disait qu'il devait y avoir une autre sincérité que celle qu'il énonçait. Que lui-même ne savait plus à quoi elle correspondait, une sincérité qui lui plaisait, une attitude. Qu'il affichait des sentiments qui représentaient ce qu'il aurait voulu ressentir, mais qu'il ne les ressentait pas forcément. Qu'il mimait la sincérité. Il était toujours en train de livrer des secrets, de faire des confidences, ou du moins de dire des choses sur le ton de la confidence. On ne pouvait pas s'empêcher de douter, de ne pas y croire, de trouver qu'elles n'avaient aucune valeur. On se demandait s'il avait un autre secret derrière celui qu'il livrait, dans son bureau, dans un restaurant, dans un café, chez lui, ça dépendait, avec une mine de conspirateur, il parlait à voix basse comme si la profondeur de sa révélation l'exigeait. Sa voix s'étranglait sur la finale des mots comme si ça lui coûtait de les prononcer, de dévoiler ces choses qu'il disait n'avoir pas prévu de confier, il présentait ce qu'il était en train de dire comme une vérité qu'il aurait préféré taire, le fait qu'il vous en parle comme une exception. On se demandait si c'était un secret qu'il inventait. Au début on le croyait. Vers la fin on n'y arrivait plus. Sauf à la toute fin quand il est tombé malade. Même là, on doutait, on ne comprenait pas pourquoi il n'avait pas dit ces choses plus tôt si elles étaient vraies. Pourquoi il les avait cachées, quelle était l'utilité maintenant de les révéler. On se demandait si c'était pour remplir les blancs, animer le déjeuner, le coup de fil, le moment, le rendre intéressant. Il disait être cette fois arrivé à un stade où il ne voulait plus mentir. Qu'il allait dire les choses comme elles étaient. Que c'était une question de survie. Il l'avait dit tellement souvent. Combien de fois ne l'avait-il pas dit ? Que ça allait provoquer un tremblement de terre. Et qu'il s'en foutait. On ne comprenait pas que telle ou telle personne, huit jours avant indispensable, l'énerve à ce point. Il se dévoilait sans qu'on lui ait demandé. Disait qu'il déchirait le rideau de fumée. Sans qu'on entende dans sa voix aucun accent de vérité. Ça allait à la fois trop loin et pas assez. On n'avait pas d'autre choix que d'admettre qu'il était sincère puisqu'on ne comprenait pas l'intérêt qu'il aurait eu à ne pas l'être. On ne voyait pas pourquoi il aurait menti, on cherchait un mobile. On ne trouvait pas. On doutait quand même, mais sans comprendre l'enjeu de la manipulation si manipulation il y avait. En le quittant on se sentait vide. Comme si derrière ses révélations il n'y avait rien à quoi se raccrocher. Dès qu'on l'avait quitté, son secret on n'y pensait plus, on le classait. Comme les juges qui classent une affaire qu'ils renoncent à connaître. Ses révélations ne sonnaient jamais juste. On faisait comme si on y croyait, on disait que c'était insensé, on surjouait l'étonnement, l'intimité, la proximité, la complicité avec lui. On se disait touché de la confiance qu'il manifestait. Mais on ne pouvait pas s'empêcher de chercher son intérêt, on cherchait une raison à cette confiance, un but. On ne pouvait pas s'empêcher de se demander si c'était par jeu, par goût, par habitude. Puis on oubliait. On pensait qu'avec le temps lui-même n'avait plus prise sur sa propre sincérité, que le pli avait fini par prendre, par se fixer, qu'il ne pouvait plus le défaire, faire autrement que de se composer une vérité, qu'il ne savait peut-être plus lui-même où il en était, et que c'était lui, maintenant, au fond, qu'il trompait, et à qui il était devenu infidèle. On ne savait pas. On n'était pas sûr. On pensait ça comme ça. On supposait. Ce n'étaient que des suppositions.

Il avait peut-être une incapacité à voir la vérité, pas seulement à la dire. Il ne la voyait peut-être pas, peut-être plus, il ne distinguait plus ce qui était vrai de ce qui ne l'était pas, peut-être. Le vrai semblait ne rien signifier d'autre pour lui qu'une case à cocher plutôt qu'une autre. Comme s'il avait voté parmi un éventail de possibilités. Il semblait faire son choix entre deux ou trois options, par intuition, par décision, sur un coup de tête, ou un coup de dés par hasard. On lui demandait comment il avait appris l'histoire qu'il vous confiait à voix basse, il disait qu'il ne savait pas, souriait. On ne demandait plus. Ou alors sur le ton de l'humour : « C'est vrai !? » Ou : « Je te crois pas. » Il répliquait : « Je t'assure. » Il insistait : « Sur la tête de mes enfants. » On n'était pas convaincu. S'il disait en nous quittant qu'il avait passé un moment extraordinaire, on ne croyait pas à sa sincérité, on répondait pourtant : « Oui, extraordinaire, il faut vite le refaire. » On se demandait s'il ressentait le même vide à l'intérieur de lui que celui qu'on éprouvait soi en le quittant. La même insatisfaction. La même impression que le moment se terminait en queue de poisson. La même sensation d'inachevé ou d'inutile. On se disait qu'il ne ressentait peut-être rien, qu'avec d'autres ça devait être différent. Mieux, plus juste. Qu'il faisait comme s'il était proche mais que les vrais proches en étaient d'autres. On avait l'impression qu'il décidait de ressentir tel ou tel sentiment comme s'il les avait choisis sur une liste, un menu. On ne comprenait sans doute rien, se disait-on. Et qu'il y avait quelque chose de pas net. On n'aurait pas su dire quoi. À force, c'est en soi-même qu'on finissait par perdre confiance. N'ayant pas d'explication de rechange on doutait de soi. On se dévaluait. On se disait qu'il ne jouait cette comédie qu'avec nous. Qu'elle nous était réservée et qu'on en était responsable. Puis alternativement, c'était lui qu'on dévaluait. On le plaignait, il n'avait plus que cette solution, faire semblant, pour se tirer de celle qu'il avait trouvée, dans laquelle il s'était fourré jusqu'au cou et qui devait l'étouffer.

Le lundi matin en arrivant à son bureau il téléphonait. Le premier coup de fil de la journée était celui qu'il nous passait, le week-end avait été trop long, comme si on lui avait manqué et qu'il respirait enfin, il disait qu'il avait attendu le lundi matin pour revivre. Et que sa première respiration il la prenait avec nous. Il y avait deux solutions, ou bien il se foutait de nous. Ou bien on était en train de s'illusionner. On interprétait mal. Si ç'avait été vrai, il serait allé plus loin, il en aurait dit plus. Il n'en disait jamais plus. Quelques minutes après, il inversait. Il décrivait l'ensemble de son week-end comme merveilleux, peut-être parce qu'on n'avait pas assez mordu à l'hameçon du dimanche étouffant, ou, au contraire, pour casser notre élan parce qu'on allait mordre dedans à pleines dents. Pourquoi avait-il dit que le week-end avait été trop long dans ce cas ? On ne comprenait plus rien. On ne savait pas ce qui était faux ni à quel moment. On lui montrait la contradiction. Il riait, il avançait « oui mais au bout d'un moment ça suffit ». Il poussait un soupir de soulagement dans le téléphone en disant que ça lui faisait du bien de nous parler. Pourtant, au bout de cinq minutes, il brusquait la fin de la conversation, accélérait le rythme pour en finir le plus vite possible.

Il parlait de sa femme comme de la seule personne au monde qui l'ait jamais compris, disait que c'était la première fois qu'il aimait vraiment, qu'elle avait transformé sa vie, qu'il n'avait jamais connu ça, qu'ils ne s'ennuyaient jamais ensemble, qu'ils détestaient les dîners, sortir, qu'ils préféraient rester tous les deux à manger un morceau de fromage dans leur cuisine, qu'il était tellement heureux qu'il ne s'en remettait pas, on se sentait mal, on se demandait pourquoi, soi, on ne ressentait pas ça, en raccrochant on s'engueulait avec la personne avec qui on vivait, que, juste avant le coup de fil, on croyait aimer, mais le lendemain, ou un autre jour, il vous annonçait qu'il n'en pouvait plus, qu'il était parti la veille, que c'était ça ou crever, qu'avec elle en dehors des deux premières années ç'avait été un enfer, alors qu'une semaine plus tôt il avait encore dit que c'était une fée et qu'on s'était senti une merde ce jour-là en raccrochant.

La psychanalyste

Ils organisent régulièrement des dîners chez eux, son compagnon est cinéaste, ils ont cinq enfants à eux deux. Chacun a abandonné son ancien foyer pour en construire un nouveau avec l'autre, quand elle est interrogée sur l'amour dans la presse féminine ou en privé, elle dit les conséquences radicales du fait de tomber vraiment amoureux. Chaque semaine des habitués viennent dîner, il y a aussi des fêtes, ils rient, ils boivent, ils fument, ils parlent, ils sont drôles, ça peut durer jusqu'à une heure avancée de la nuit. Avant-premières, projections, pots, ils peuvent se retrouver ailleurs, ils s'aperçoivent, se sourient de loin, s'approchent les uns des autres, ils font un petit cercle, rencontrent aussi des gens nouveaux, ce sont des amitiés intellectuelles, artistiques, gaies, et qui ne revendiquent pas leur efficacité au-delà du cercle. Il y a des scénaristes, un ou deux psychanalystes, des gens cultivés qui lisent. Un des habitués est lié à une personne que la maîtresse de maison aimerait connaître, il fait passer le message, mais pendant un an l'invitation ne va pas au-delà de l'intention et du message qu'on fait passer.

Un soir, à une avant-première, au milieu de la petite foule qui se presse au pot après la projection, la psychanalyste les voit en discussion. Elle s'approche dans son manteau à col de fourrure, l'habitué a un verre à la main, il est en train de dire au revoir à la personne, qui se tourne déjà vers la sortie, la psychanalyste approche, elle sourit, il fait les présentations, elles se sont déjà croisées, elles se tutoient :

— Est-ce que tu accepterais de venir le 22 mai à une petite fête à la maison ? Ça nous ferait plaisir.

— Bien sûr.

— Ça fait longtemps que j'avais envie de faire ta connaissance, ça me fait vraiment plaisir que tu puisses venir. On sera très heureux de te recevoir.

— Je suis très contente aussi.

— Il y aura sûrement des gens que tu connais, il y aura déjà notre ami… qui a dû te dire depuis longtemps…

— Oui bien sûr il m'a fait passer le message. Ça me fait très plaisir. Le 22, hein, c'est bien ça ?

— C'est ça. On sera très contents. Vraiment.

— À bientôt alors.

Elle part après avoir noté dans son agenda : 22 mai.

Le soir même elle téléphone à une amie qui y sera aussi, elles conviennent d'un rendez-vous pour arriver ensemble.

Mais, trois jours avant la date, le jeudi qui précède, l'invitée reçoit un appel, elle ne reconnaît pas le numéro, elle laisse sonner, attend le petit bruit qui indique qu'un message vient d'être déposé, et interroge sa messagerie :

— Bonjour, c'est… (la psychanalyste dit son prénom et son nom), on t'avait invitée à une fête samedi, mais quand Untel a appris que tu serais là il s'est décomposé, son visage a changé, il a eu l'air angoissé, il a dit qu'il ne supporterait pas de te voir, il a semblé très perturbé à cette idée, il y aura du monde, il risquait juste de t'apercevoir, mais son visage s'est vraiment décomposé quand on lui a dit qu'on t'avait invitée, comme il ne va pas très bien en ce moment, je t'appelle pour te demander, s'il te plaît, de ne pas venir. J'espère que tu ne m'en voudras pas, que tu comprendras, et que tu viendras à la maison une autre fois. On aura d'autres occasions. Rappelle-moi. Je t'embrasse, j'espère que tu ne m'en veux pas. Mais j'ai cru que tout le monde pouvait s'aimer.

Elle efface le message. Puis, sous un prétexte quelconque, annule le rendez-vous pris avec l'amie pour arriver avec elle. Le soir de la fête, celle-ci apprend la vraie raison, elle lui dit au téléphone le lendemain qu'elle est choquée.

Six mois après, c'est l'anniversaire de cette amie. La désinvitée arrive en voiture, elle cherche une place pour se garer. Mais pendant qu'elle cherche, elle voit la psychanalyste et son compagnon cinéaste qui marchent sur le trottoir, le compagnon porte une plante verte qui lui cache le visage. Son premier réflexe est de faire demi-tour, puis elle se dit qu'il y aura du monde, cette amie ne les aurait pas réunis en petit comité, elle se gare. Elle sonne, et elle entre. Moins de dix personnes sont disséminées dans le salon, la plante est posée près du piano, la psychanalyste est accoudée au bar qui sépare le salon de la cuisine américaine, son compagnon, près du buffet qui a été installé sous l'escalier, mâchonne un cigare.

La désinvitée hésite à repartir. Elle s'éternise près du portant aux manteaux, s'avance un peu, puis reste appuyée au chambranle qui sépare le vestibule de la pièce principale, quelqu'un lui demande pourquoi elle n'approche pas, elle finit par s'asseoir sur un canapé à l'écart. Le petit groupe près du buffet commentait les qualités du cuisinier-homme de ménage à qui une petite minute est toujours consacrée chez cette amie, quand, tout à coup, la psychanalyste aperçoit la désinvitée, au fond de la pièce sur le canapé à l'écart. Elle quitte le petit groupe sous l'escalier, sa haute silhouette aux cheveux blonds, souriante, s'avance vers elle :

— Je voulais te dire bonjour…

Le visage de la désinvitée marque la stupeur, et, sur un ton glacial :

— Mais moi je ne souhaite pas te dire bonjour !!!!

La psychanalyste interloquée fait demi-tour. Son compagnon cinéaste a observé la scène, cigare entre les lèvres, près du buffet.

La désinvitée, comme propulsée par un ressort, se lève alors du canapé à l'écart, et, à une hauteur de voix qu'on ne lui connaissait pas, lance à la cantonade :

— N'y a-t-il donc rien d'autre qui compte dans cette vie que la sociabilité ? C'est la seule valeur ? C'est la seule valeur, c'est ça ? Vous avez fait vœu de sociabilité, c'est ça ? Il n'y a rien d'autre ? Rien d'autre n'existe ? Il n'y a que ça ? Rien d'autre ? Il n'y a que la sociabilité ? C'est ça ? Et ça ne vous dérange pas ? C'EST ÇA ? C'est pas possible ! C'est pas possible !!!... Non mais c'est pas possible. C'est pas possible !!…

Elle arpente le salon de long en large. Près du buffet sous l'escalier, on tourne la tête dans sa direction, c'est le silence dans la grande pièce. Quelqu'un se détache du petit groupe, s'approche d'elle, et, sur le ton compatissant du bénévole prêt à dénouer les fils, demande en lui souriant ce qui la perturbe.

La joueuse de tennis

Elle supervise la comptabilité de son club, elle organise des tournois, elle y programme des activités culturelles, mais ce soir-là, elle est rentrée tôt. Elle a des invités. Elle leur sert le dîner dans la cuisine, ils sont assis sur un banc en bois contre le mur, elle est face à eux, un couple plus jeune qu'elle et son mari, un intellectuel qui fait de l'humour pour les mettre à l'aise. Ils rient, elle raconte des anecdotes, la conversation roule, elle sourit, elle pose des questions, leur dit qu'ils font partie de la famille, c'est pourquoi ils dînent dans la cuisine, ils peuvent se resservir eux-mêmes de la quiche, elle parle du récipient Tupperware qu'elle a utilisé pour la réaliser, de sa vie régie par l'amour qu'elle porte à sa famille, de son plaisir de les voir heureux, du bonheur qu'elle a quand elle rentre de trouver son fils à plat ventre sur la moquette devant son ordinateur, insouciante, légère, agréable, chaleureuse, gaie, disponible, elle est aux petits soins de tout le monde, elle se lève dès qu'ils ont besoin de quelque chose, elle est blonde, les cheveux lisses, elle a un grand nez pointu, la conversation peut aussi changer de registre, passer de la légèreté à la gravité, la souffrance que les Allemands ont infligée aux juifs, pour elle qui est allemande, est une question qui la taraude, quand elle discute avec son père, qui est maintenant très âgé, précise-t-elle, elle se fait l'avocat des juifs, et les trois quarts du temps ça se termine par une dispute.

L'homme qui a une scoliose

Le médecin de Fleury signe son transfert pour la prison de Fresnes où on pourra soigner son dos, il a une scoliose, il souffre, et à Fresnes les installations médicales sont plus importantes. Au moment du transfert, il est au dispatching, il entend un bruit de chaîne à côté de lui. Il se retourne. Un autre type, qui fait le transfert avec lui, a des menottes, ça il le comprend, c'est pareil pour tous les déplacements, mais il a aussi des chaînes aux pieds. On lui dit que les déplacements pour Fresnes se font toujours, en plus des menottes, avec des entraves aux pieds. Il réfléchit, très vite, avant de monter dans l'estafette, il calcule les avantages, les inconvénients, d'un côté son dos qui pourrait être soigné, de l'autre, des entraves aux chevilles pour y aller. Et il décide de remonter dans sa cellule. Il se dit qu'il peut tenir.

L'insomniaque

Depuis que la date de son mariage est fixée, elle dort mal. La semaine qui précède, elle ne dort pas du tout. Elle maigrit. La journée, elle ne peut plus se traîner. La veille, elle est dans un tel état d'angoisse qu'elle est obligée d'appeler un médecin de SOS qui vient lui faire une piqûre, elle dort quelques heures. Mais elle arrive à son mariage épuisée.

Le fêtard

La table est dressée devant la fenêtre près du sapin enguirlandé, il y a des amis, son demi-frère, sa femme qui s'apprête à se lever pour aller chercher un plat dans la cuisine, il pose sa main sur son bras, il l'arrête, c'est lui qui va y aller... Il en revient pantalon baissé aux genoux, avec deux tranches de pain, l'une placée au-dessus de son sexe, l'autre en dessous, il tient le tout entre ses doigts. Pour parfaitement figurer un hamburger, il a mis une feuille de salade entre son sexe et le pain du dessous.

Le temps passe. Les années passent. Plus de vingt ans. Sa femme et lui se sont séparés, il en a rencontré une autre, puis une autre, puis une autre, il a vécu vingt Noël, vingt réveillons, et ce jour-là, il est sur un lit d'hôpital, un cancer du foie lui a été diagnostiqué il y a quelques semaines, les médecins disent que ça se dégrade, il a maintenant un cancer du pancréas, il est dans cette chambre depuis dix jours, sa compagne est assise sur son lit, ses enfants sur des chaises, son demi-frère, venu spécialement de Bordeaux pour le voir, est debout appuyé au mur, un médecin entre dans sa chambre, lui dit que son état est extrêmement grave, qu'il n'en a plus que pour quelques jours, peut-être quelques heures. Il n'avait pas compris que ça allait être aussi rapide, alors il dit d'une toute petite voix :

— Ah bon !?

L'intellectuel décontracté

Assis sur un tabouret du bar, les mocassins calés derrière le barreau, il explique qu'il met un point d'honneur à ne jamais porter de cravate, il parle volontiers de son cas, il l'expose en parlant à mi-voix, il ajoute qu'il ne fait aucune exception, que ce soit pour un dîner, un cocktail, une réception au Festival de Cannes, l'interview d'un ministre, un mariage, son sourire indique qu'entre lui et le rôle social qu'il est tenu de jouer existe une distance infranchissable, il dit qu'il cloisonne naturellement, quand il répète les propos d'un autre il n'en livre jamais l'identité, il explique tout ça en plissant les yeux de façon à ce qu'on ne puisse pas déterminer si c'est par détachement las ou par curiosité qu'il regarde les gens qui entrent et qui sortent du café. Il a déboutonné son manteau mais ne l'a pas enlevé. Comme s'il allait repartir, n'était concerné que par la maison qu'il louera en Toscane cet été.

Il est candidat au poste de directeur qui vient de se libérer dans sa société, maintient, avec l'œil de celui qui vaut mieux que ce qu'il paraît, que ses ambitions professionnelles sont secondaires, il a une vie, amoureuse, affective, personnelle, familiale, il préfère parler de ça. Il fait le marché lui-même, il achète des produits frais, avec une volonté d'humour il évoque sa propre image tenant à bout de bras un panier d'osier dont sortent des poireaux.

Il se juge, parfois il se condamne, notamment dans son rapport aux femmes. Il parle de la psychanalyse qu'il faudra qu'il fasse un jour, il cherche une adresse, pas trop loin de chez lui pour pouvoir s'y rendre à vélo. Il a un vélo de type hollandais, du haut duquel, dit-il ironisant sur sa propre personne, il regarde passer les Vélib' avec mépris. Il regrette certaines erreurs passées. Puis les tempère en disant qu'à l'époque la vie lui a imposé sa logique, il évoque le sentiment qu'il a souvent eu que les choses lui filaient entre les doigts sans qu'il puisse les retenir, et que sa vie se déroulait comme s'il y assistait d'une fenêtre. Il ne veut plus de ça. Il vit avec une femme qu'il a réussi à convaincre qu'elle valait beaucoup mieux que ce qu'elle croyait. Mais, il vient de tomber amoureux de celle qui est assise en face de lui. Il lui dit qu'elle est une pensée obsédante, qu'ils ne pourront pas vivre leur histoire tout de suite, car comme il a convaincu sa femme qu'elle valait beaucoup mieux que ce qu'elle croyait il ne peut pas prendre le risque de la faire retomber dans la dépression à laquelle il l'a arrachée. Il est hors de question qu'il ait une double vie, c'est quelque chose qu'il a trop pratiqué à l'époque où sa vie lui filait entre les doigts. Puis tout à coup, il la fixe. Il la fixe de longues minutes, puis il lui caresse l'avant-bras, s'intéresse à un grain de beauté qu'il découvre près de son bracelet-montre, et s'en dit bouleversé.

La fille seule

Elle tient son journal depuis la naissance de sa fille, tous les soirs quand elle rentre elle écrit :

« Après l'accouchement, j'ai habité une semaine chez une copine, ensuite j'ai trouvé une chambre, petite, très chère, je voulais être installée, et partir en Angleterre pour revoir Éric. J'y suis allée, j'ai frappé à la porte, il m'a ouvert, et là surprise, il était marié, avec une fille que je connaissais. Il m'a dit qu'il n'était pas le père de mon enfant. Je me suis pris ça en pleine figure, ç'a été dur, mais au moins maintenant c'est clair. Eh oui, c'est comme ça la vie ! Tant pis pour moi. Je n'avais qu'à savoir plus tôt ce que je voulais au lieu de lui dire que je ne voulais pas vivre avec lui. Je l'aimais et je voulais vivre avec lui, je ne m'en rendais pas compte sur le moment. Je ne l'ai compris qu'après. Sur le moment j'étais perdue. J'avais peur de voir ma vie toute tracée. Je ne savais plus où j'en étais.

Je suis rentrée dimanche, et lundi j'ai repris le boulot. J'ai rencontré un garçon dans l'escalier de mon immeuble, il habite l'étage du dessous. Ce n'est pas l'amour fou mais ça me fait du bien.

Le problème c'est ma fille. Pour l'instant je l'ai mise dans un foyer, je ne peux pas à la fois travailler et être avec elle. Je n'ai rien dit à mes parents, et je n'ai pas d'argent pour la faire garder. Je n'aime pas ce foyer. Il y a beaucoup d'enfants, peu de personnel, je n'aime pas les femmes qui s'en occupent, je n'aime pas l'odeur, je n'aime rien. Il faut que je lui trouve autre chose. J'espère que le planning social va m'aider. Quand je me suis retrouvée enceinte, au début, et même un peu après, je pensais la faire adopter, heureusement je me suis rendu compte à temps que j'allais faire une énorme erreur. Il est hors de question que je l'abandonne. Je l'aime ! Je la prendrai avec moi dès que ce sera possible. Il faut que je m'organise, c'est tout. Il me faut un appartement, pas seulement une petite chambre, et que je puisse la faire garder, pour ça il faut de l'argent, mais il y aura une solution, forcément. »

Quelques jours plus tard elle écrit :

« J'ai droit à une heure de visite par semaine. Dimanche j'y suis allée. J'étais contente en arrivant et très mal en repartant. Elle a pleuré toute l'heure. Ils m'ont montré sa chambre. Dix petits lits en enfilade dans une pièce, avec une grande table au milieu et dix petites chaises. Il ne faut pas que j'y pense, j'ai envie de pleurer. »

Quelques jours plus tard :

« Je n'y arrive pas toute seule ! J'espère que je vais rencontrer quelqu'un. Il n'y a pas de raison que ça n'arrive pas. Le jour où ça arrivera, si au fond de moi je ressens quelque chose qui ressemble à de l'amour, je n'hésiterai pas. Je foncerai cette fois. De toute façon je ne sais pas repérer l'amour quand il est là. Je ne me poserai pas de question. Même si j'ai l'impression que ce n'est pas le grand amour. Je me suis trompée une fois, je ne me tromperai pas deux fois. Aujourd'hui ça serait tellement bien si j'étais avec Éric. Quelle idiote j'ai été. Pour ma petite chérie ce serait génial. Pourquoi je suis tellement compliquée ? Est-ce que c'est moi qui suis comme ça ou est-ce que c'est tout le monde ? »

Quelques semaines plus tard :

« J'ai des projets, des envies du moins. J'ai envie d'aller en Espagne. Je ferais mieux de retourner en Angleterre. Il faut que je reparle à Éric, pour qu'il m'aide, au moins financièrement. Ce n'est plus possible ce foyer, elle y est malheureuse. Elle pleure tout le temps, elle est nerveuse, agitée, fatiguée, elle ne mange pas. Je ne peux plus la voir comme ça. À moins que je la mette chez ma tante. Est-ce que je peux me permettre de lui demander ça ? Elle n'est même pas au courant de son existence.

Cet été j'ai envie d'aller en Grèce ou en Turquie. On ne peut pas appeler ça des projets, c'est tellement aléatoire. Ça dépendra de ce que je trouve pour ma fille. Dès demain j'écris à ma tante et à Éric.

Tout est dur, tout est cher, je n'ai aucune nouvelle de lui, il faut que je remballe mon orgueil et que je lui écrive. »

Quelques mois plus tard :

« Je suis un peu moins seule qu'avant dans cette foutue ville, j'ai rencontré deux filles avec qui je sors de temps en temps. À part ça rien d'extraordinaire.

Je repense à l'adoption. Un enfant adopté est plus heureux dans une famille qui a envie de s'en occuper que dans un foyer où il passe de main en main. Je ne sais pas quoi faire. Dimanche dernier je suis allée la voir. C'est trop dur. Ce n'est pas possible. C'est de pire en pire. »

Quelques jours plus tard :

« Qu'est-ce que je m'ennuie dans ce bureau ! Qu'est-ce que j'en ai marre ! Je ne vais pas rester là toute ma vie. Je ne pourrai pas. Ils peuvent continuer de me faire la gueule, je m'en fiche, je sais que je vais partir un jour. »

Plus tard encore :

« Je vais être malheureuse toute ma vie si je l'abandonne. Je le sais. Je ne peux pas faire ça. Je ne vais pas le faire. Elle est tellement mignonne. Et puis, je l'aime. Elle commence à faire des petits sourires. Elle a déjà deux dents. On ne met pas un enfant au monde pour ne plus jamais le revoir. Ce n'est pas possible. Si je faisais ça, je ne me le pardonnerais jamais. Je regarderais dans toutes les poussettes que je croiserais, ma vie serait un enfer. Et le temps n'arrangerait rien, une blessure comme ça fait souffrir toute une vie. »

Elle écrit quelques semaines plus tard :

« J'ai trouvé une famille d'accueil. Ça me permet de travailler, tout en ayant la possibilité de la reprendre, et quand je ne travaille pas de la voir le week-end. C'est beaucoup mieux. Tout ça a un prix mais tant pis. Je me débrouille. Le dimanche je travaille dans un restaurant. Je peux aller la voir quand je veux, et je pourrai la reprendre définitivement dès que la situation aura évolué.

Je ne supporte plus la mentalité des gens de cette ville. J'étouffe. Il faut que je prenne l'air. Je parle bien anglais, je pourrais trouver du boulot à l'étranger. Si je trouve, je pars. Je prends un appartement, je fais venir ma fille, elle me rejoindra là où je serai quand je serai installée. Elle va grandir. Elle va aller à l'école, les choses vont bouger, les situations ne sont pas figées. Je vais finir par trouver le courage d'en parler à mes parents. Et un jour, on sera là, toutes les deux, dans un jardin public, elle mangera une petite glace, elle aura taché sa robe, elle fera de la balançoire, elle jouera avec les autres enfants, on donnera à manger aux canards. Eh oui. J'ai mes petits rêves. Ils me rendent heureuse mes petits rêves. Et je vais finir par rencontrer quelqu'un. Depuis Éric, j'ai été très sage, pourtant je ressens un ennui profond dès qu'il n'y a pas d'hommes dans les parages.

Hier j'en ai rencontré un dans un bar, un Américain, très beau, on s'est fait des petits signes à distance. »

Quelques jours après :

« Je suis retournée dans le bar où j'avais vu l'Américain, il m'a offert un verre. De près il est encore mieux. Le lendemain on s'est revu au même endroit, après on s'est promenés dans les rues jusque très tard, et on s'est quittés en se donnant rendez-vous pour le lendemain après-midi. J'étais ravie. Sauf qu'il n'est pas venu. J'y suis allée, et je suis rentrée chez moi. Le soir, je sors, je le croise dans la rue par hasard. Monsieur s'était endormi ! Comme il retournait aux États-Unis, tout ce qu'il a pu faire c'est prendre mon adresse, et depuis on s'écrit. Il me dit qu'il regrette. Pourquoi les choses ne peuvent pas être simples ? »

Quelques semaines plus tard :

« J'ai trouvé une nouvelle famille d'accueil. Elle est arrivée chez eux en décembre. Au début ç'a été difficile, maintenant ça va. Elle a sept dents, cinq en haut, deux en bas. Elle commence à savoir s'asseoir toute seule, il faut la voir ! Elle est de plus en plus belle.

J'ai tout dit à mes parents. Ils avaient reçu des papiers de la Sécurité sociale à la maison, ils savaient. Par discrétion ils n'avaient rien dit. On a tous bien pleuré, après ça allait mieux.

À part ça, rien de spécial, j'en ai marre et c'est dur. C'est tout. Quand je vais au cinéma, voir tous ces couples ça me rend triste.

Il y avait toujours des fêtes avant. Quand j'étais en Angleterre, et même avant quand j'habitais chez mes parents. On avait des fous rires entre copines, on s'amusait. J'aimais ma vie. Je n'ai pas compris ce qui s'est passé. Je ne sais pas pourquoi tout est devenu si sérieux d'un seul coup. En moins d'un an tout est devenu pénible, compliqué. On m'aurait dit il y a un an que j'allais être bloquée comme ça si vite, jamais je ne l'aurais cru.

Je rate tout. Tout ce que je fais est nul. Je fais systématiquement le contraire de ce qu'il aurait fallu faire. C'est pathétique ! Je me fais pitié. On dirait que je ne sais prendre que les mauvaises décisions. J'ai l'impression qu'il y a une malédiction sur moi. Je ne sais pas si je suis bête ou aveugle. En tout cas, je ne vois pas les situations. Alors évidemment, tout ce que j'entreprends échoue. Puisque les bases sont fausses ! Quand je vais voir ma fille, dans sa famille d'accueil, maintenant en face de moi j'ai deux grands yeux ronds, qui me regardent et qui ne savent pas qui je suis. Ma fille ne me reconnaît pas. Voilà où j'en suis. Quelle brillante idée j'ai eue de la mettre dans cette famille ! Ah ça ! Après ça revient heureusement. Elle perd cet air figé.

Sinon elle est toujours aussi mignonne. Elle sait boire à la tasse. Avec sa petite main, elle prend un biscuit, elle le mange. Elle a appris tout ça dans cette famille. Et moi, quand je viens, et que je veux la changer, elle pleure. Ou plutôt elle hurle. Il faut que ce soit la femme qui vienne la calmer. Elle ne sait pas encore se mettre debout. Mais le jour où ça arrivera, il y a peu de chances que je sois là.

Le soir, quand je suis toute seule dans ma chambre et que je pense à ça, je me gifle, voilà ce que je fais, « tiens, prends ça sur tes grosses joues ».

Ça ne m'empêche pas de reprendre ma petite routine dès le lendemain, comme si de rien n'était. Je continue mon petit train-train. Je reprends ma petite vie merdique. C'est lamentable. Et le week-end, je continue de faire la serveuse pour payer cette famille. Le soir, quand je sors du bureau, et que je me balade dans les rues, elle est où ma fille ? Je ne sais pas. Pourquoi on est sur terre ? Pourquoi on vit ? Pourquoi on est vivant ? Pour être heureux non ? Ah oui ! mais il faut être deux pour ça. Et pour être deux il faut être calme, il faut arrêter de fuir, peut-être qu'un jour j'arrêterai de fuir ma propre vie. »

Quelque temps plus tard :

« La semaine dernière, j'ai fait quelque chose de parfaitement inutile, j'ai appelé Éric. Il a été très gentil, très doux, comme avec une amie, il m'a annoncé que sa femme était enceinte, il est clair qu'il se fout royalement du reste. Il ne m'envoie bien sûr jamais d'argent. Après ça il m'a écrit une lettre tout à fait insignifiante. Dans laquelle il me parle d'un projet de voyage en Alsace pour la fin de l'été. J'irai peut-être le voir. Je ne sais pas. Peut-être. Peut-être une dernière fois. »

Plus tard :

« Je suis fière de ma petite fille, c'est une vraie petite mouflette coquine, elle est tellement mignonne, c'est impossible de ne pas l'aimer. J'ai du retard mais là je le rattrape, samedi je vais la chercher dans sa famille. J'ai le trac. »

Deux jours plus tard :

« J'ai pas beaucoup d'argent, je ne peux pas lui acheter grand-chose, je suis en train de lui tricoter une petite veste en grosse laine blanche. J'ai fini le dos hier. Je la lui donnerai ce week-end, je vais essayer de la terminer ce soir. Ça me plaît de faire ça. Et demain j'irai acheter des couches, ce sera la première fois. J'ai des bouffées d'angoisse rien qu'à l'idée que j'ai failli l'abandonner. Quelle folie ! »

Le lendemain soir elle écrit :

« C'est une petite fille adorable. Si je m'écoutais, je la prendrais dans mes bras tout le temps, je la serrerais, je l'embrasserais, je resterais collée contre elle. Elle dort bien. Elle mange tout ce qu'on lui donne. J'ai de la chance. Quand je suis venue la chercher dans sa famille, elle a un peu pleuré. Pas trop. Les deux premiers jours, elle ne voulait être qu'avec moi. Elle se mettait à hurler quand je la mettais dans les bras de ma mère. »

Quelques jours plus tard :

« Elle commence à dire merci. Elle fait des petits bisous, c'est à mourir de rire. Elle marche. Ça m'a fait un choc la première fois que j'ai vu cette petite bonne femme debout, elle en riait elle-même. J'espère qu'il va faire beau le week-end prochain, je voudrais l'emmener faire un tour en barque. »

Quelques mois plus tard :

« Je suis incapable d'être amoureuse de qui que ce soit sur la durée. Sentimentalement je suis une nomade.

Je ne suis pas faite pour ça, je suis trop instable. Avec Jim je devrais sûrement me décider, j'hésite parce que le lendemain je peux très bien tomber amoureuse du premier beau gosse venu. Il m'a proposé de rentrer en Australie avec lui. Ça ne tient qu'à moi. Il est gentil, il a plein de qualités, il est intéressant, j'aime discuter avec lui, je ne m'ennuie pas, il a de l'allure, tout pourrait être parfait. Ce que je n'aime pas, c'est comment moi je suis avec lui : je fais la patronne. Je fais la chef. J'ai horreur de ça. Je n'arrive pas à m'en empêcher, dès qu'il est là je suis comme ça, c'est automatique. On va partir en vacances ensemble, on verra comment ça va se passer. Ma fille sera chez ma mère pendant ce temps-là. »

Plus tard encore :

« Devant moi, je vois un énorme trou noir. Une espèce de grande masse sombre, sur laquelle je n'ai aucune prise et qui m'angoisse. »

Plus tard :

« Hier et avant-hier je ne travaillais pas au restaurant, j'ai eu mes deux soirées libres, deux soirées où je pouvais faire ce que je voulais. J'avais même oublié que ça existait.

Je suis bien là ce soir toute seule dans ma petite chambre. Je pourrais écrire des heures.

J'ai rencontré un pilote d'hélicoptère. »

Plus tard :

« J'ai changé ma fille de famille. Je pars à l'étranger, elle me rejoindra. Mais la femme m'a fait promettre, au cas où mon séjour se prolongerait, qu'il serait possible d'envisager l'adoption. Elle dit qu'elle ne veut pas s'occuper d'un enfant sur le long terme, prendre le risque de s'y attacher, sans avoir cette perspective. Si mon séjour devait se prolonger et que je ne puisse pas la faire venir, il faudrait que je fasse une procédure d'abandon.

Je n'ai jamais su prendre les décisions importantes. Mon pilote d'hélicoptère me propose de venir vivre au Canada avec lui, j'hésite, je ne sais pas quoi faire. Je crois que je vais y aller. Il a un fond de timidité. Il m'émeut. »

La lectrice

La tête sur un coussin brodé, allongée sur un canapé, le genou en appui sur le dossier, elle tient un livre entre ses mains, pages ouvertes. Tout à coup, son regard accroche un paragraphe, et sa tête ne bouge plus, ses yeux ne cillent plus : « Ainsi se passera sa première journée. Ainsi se passeront les suivantes. Comment expliquer que ce qu'il découvre n'est pas quelque chose d'épouvantable, n'est pas un cauchemar, n'est pas quelque chose dont il va se réveiller brusquement, quelque chose qu'il va chasser de son esprit, comment expliquer que c'est cela la vie, la vie réelle, que c'est cela qu'il y aura tous les jours, que c'est cela qui existe et rien d'autre, qu'il est inutile de croire que quelque chose d'autre existe, de faire semblant de croire à autre chose, que ce n'est même pas la peine d'essayer de déguiser cela, d'essayer de l'affubler, que ce n'est même pas la peine de faire semblant de croire à quelque chose qu'il y aurait derrière cela, ou au-dessous, ou au-dessus. Il y a cela et c'est tout. Il y a les compétitions tous les jours, les Victoires ou les défaites. Il faut se battre pour vivre. Il n'y a pas d'autre choix. Il n'existe aucune alternative. Il n'est pas possible de se boucher les yeux, il n'est pas possible de refuser. Il n'y a ni recours, ni pitié, ni salut à attendre de personne. Il n'y a même pas à espérer que le temps arrangera cela. Il y a cela, il y a ce qu'il a vu, et parfois ce sera moins terrible que ce qu'il a vu, et parfois ce sera beaucoup plus terrible que ce qu'il a vu. Mais où qu'il tourne les yeux, c'est cela qu'il verra et rien d'autre et c'est cela seul qui sera vrai. »

La revenante

Quand elle retourne dans le quartier où elle a grandi, elle constate les changements, et elle a le cœur retourné. Puis elle remarque un détail, de ses toutes premières années, une pierre, là, sous une fenêtre, qui est toujours là, toujours pareille, qui n'a pas bougé, un peu saillante dans le mur, cette pierre l'a connue quand elle était petite, elle est témoin de qui elle était, de l'enfant qu'elle était, elle a envie de lui demander : est-ce que tu me reconnais ? Elle voudrait le demander aux cailloux, à un bout de toit couvert d'ardoises qui se détache sur le ciel, à la tourelle de la maison, même si elle est à moitié cachée par un mur en ciment qui n'y était pas, mais surtout à cette pierre qui est toujours là. La cour où elle a joué toute son enfance est méconnaissable, la vitre cassée derrière laquelle elle jouait à la marchande n'est plus cassée. Les nouveaux habitants ont fait des travaux, elle ne les aime ni eux ni leurs travaux. Elle se sent seule digne de cet endroit, de cette maison, de ce chemin, de ce jardin. Elle les comprend et elle se sent seule capable de les comprendre. Elle se sent elle quand elle est là. Elle se sent témoin de cette pierre encore de travers sous la fenêtre. Qui ne s'est toujours pas intégrée au mur, qui ne s'y intégrera plus, qui continue d'être saillante, de ressortir du mur, comme une dent mal alignée dans un sourire, c'est comme si elle l'entendait parler, qu'elles étaient témoin l'une de l'autre, qu'elles pouvaient se comprendre. L'épicier n'est plus là, l'épicerie non plus, personne n'est plus là. Le poirier est là. La terre du chemin, la poussière. Les deux cylindres en ciment du lavoir. Le cerisier aussi. À part ça, rien. Il y a des gens qui passent dans le chemin, ils ne la reconnaissent pas, ils croient qu'elle fait un tour dans le quartier comme si elle le visitait. C'est devenu touristique, il y a des promeneurs mêlés à ceux qui y habitent. Elle ne reconnaît personne. C'est l'endroit qui est gravé, les rues, les jardins, tout ça est à elle. C'est un souvenir lointain, disparu, mais marqué en elle, on ne lui enlèvera pas. Ils ne s'effaceront pas. Ils sont en elle, avec sa grand-mère, l'épicier, ses voisines de l'époque, l'apiculteur qui cultivait un jardin un peu plus loin, et que sa mère saluait en passant dans le chemin.

L'élégant

Il jouit de sa distinction, mais uniquement si elle est reconnue de certains et ignorée des autres, passer pour un quidam à leurs yeux, pour lui qui n'en est pas un, est le sel de sa condition. Il est né dans une famille d'intellectuels, qui plaçaient la littérature au-dessus de tout. Le génie ne l'intimide pas, la célébrité encore moins, la richesse pas du tout. Il ne méprise pas l'argent, mais c'est le pouvoir de ceux qui n'en ont pas, il le regarde de haut, indifférent. Quand il était petit il a côtoyé les plus grands écrivains, il a peut-être même sauté sur leurs genoux. Il passait l'été dans une grande maison de bord de mer, toute la famille s'y réunissait, il jouait avec ses cousins, dont les parents faisaient des affaires, il avait déjà conscience à l'époque d'appartenir à une aristocratie dont ils étaient exclus, il savait déjà que l'argent était un détail qui ne méritait pas son respect, alors que la littérature, la pensée… Ça lui est resté, il ne parle d'argent que sur un ton distancé comme de quelqu'un qui veut se faire accepter, mais en claquant des talons sur le parquet, énervé, pour faire reconnaître une supériorité qui lui est reconnue partout et ne comprend pas pourquoi là elle ne l'est pas. Ceux dont le pouvoir ne tient qu'à la richesse sont pour lui des enfants un peu perdus, qu'il se désole, et plaint, de voir désorientés quand ils se retrouvent dans son milieu.

Mais il ne dira jamais que quelqu'un est vulgaire. Il n'est pas touché par le sujet. C'est un trait qui ne peut pas le gêner. Son élégance va jusqu'à être ému par la vulgarité des autres, il peut la trouver touchante, en avoir pitié comme d'une maladie de naissance, « le pauvre !… » dit-il de celui qui s'évertue en pure perte à travailler son comportement pour se faire intégrer, alors que le combat est perdu d'avance, il faudrait être cruel pour ne pas s'attrister de son échec puisqu'on ne peut évidemment pas être dupe de tant efforts qui deviennent émouvants d'être désespérés.

Lui n'a pas besoin de se distinguer des autres par un mode de vie différent, il a une façon différente d'appréhender exactement le même. Il circule en métro, il a un passe Navigo, il a choisi son lieu d'habitation en regardant les stations qui le desservaient, il aime certaines lignes, d'autres moins, c'est un sujet dont il parle, les correspondances agréables, celles qui ne le sont pas, les trajets qui lui plaisent, ceux qu'il n'aime pas, il juge inconfortable, bien que court, un trajet de quatre stations avec un changement à la deuxième qui coupe son voyage en deux portions si courtes que ça l'oblige à surveiller son arrêt, au lieu de s'absorber dans la lecture de son journal et de pouvoir le jeter à la sortie l'ayant lu. Avoir un chauffeur ne suffit pas à faire sortir quelqu'un du lot, le métro en dehors des heures de pointe étant plus commode, y renoncer serait une afféterie, et donc, presque une vulgarité. Contrairement à ceux qui s'imaginent être dans la masse quand ils sont dans les transports en commun, lui s'y distingue, n'ayant pas besoin de se détacher de la foule pour ne pas y être assimilé.

En société, au premier abord il est réservé. Puis il lance des traits d'humour qui ne sont pas saisis, pendant que les autres se demandent s'il faut rire, s'il faut suivre, s'il faut prendre le même ton, s'ils ont raison de se sentir mal à l'aise. Alors que lui, un code qu'il ne maîtrise pas, il le déclare sans importance. Il le met de côté, comme un examen inutile à passer, comme si d'emblée par le jeu des équivalences il l'avait déjà réussi haut la main. Il s'autorise à ne pas respecter certaines règles sociales, qui souffriront une exception, la sienne, s'il est convié à une fête d'anniversaire comme il n'a jamais d'idée de cadeau, eh bien il n'en fait pas.

Il méprise une seule catégorie de personnes : ceux qui arrivent en retard. Il en parle avec un rictus de dégoût, des gens qui n'ont pas d'autre moyen de se faire attendre. Vous avez rendez-vous avec lui dans un restaurant. Il vous attend à l'extérieur, bien que vous soyez à l'heure, et même un peu en avance, et pour ne pas prendre le pied sur vous il dit qu'il ne savait pas où s'asseoir. Il vous suit, se plaisant à vous laisser le diriger, comme si n'ayant pas d'autre occasion de le faire vous en rêviez. Il vous laisse choisir la table par une courtoisie qu'il présente comme une incapacité à repérer la meilleure, doublée d'une indifférence à y être installé. Il paye. Si vous insistez pour le faire, il se permet une plaisanterie : « Si j'avais su j'aurais mangé plus », tout en rangeant la carte qu'il avait déjà sortie, prêt à taper son code. Il ne parle jamais d'une chose en disant qu'elle est chère ou bon marché. Pour signifier qu'il ne souhaite pas descendre dans tel hôtel, il dit sur le ton négligent de la ménagère qui n'achète que des produits de saison : « Ça coûte une fortune en plein été. » Quand il reçoit, ne se voyant pas faire la petite-bourgeoise qui va chez le traiteur, il commande des sushis qu'il laisse dans leur boîte en plastique. Par commodité, car tout ce qui n'est pas commode relève pour lui du maniérisme.

Il ne fait jamais étalage de son impressionnante culture. Il ne juge jamais ceux qui en manquent. Il est attendri par les fautes de grammaire, de prononciation, d'orthographe, ça le touche. La qualité des gens ne dépend pas plus des critères culturels que des critères économiques qu'il méprise tant. Lui la repère autrement. Ce n'est pas par dégoût du pouvoir tout ça, mais par un goût plus raffiné, moins spectaculaire, moins inquiet, plus patient, plus acquis, plus profond, plus solide, plus orgueilleux, plus inavoué, plus sûr et plus unique, qui n'a besoin d'aucune confirmation, d'aucun reflet. S'il n'aime pas les miroirs, ce n'est pas parce qu'il n'aime pas se voir et être vu. C'est qu'il n'a pas la nécessité, il ne voit pas l'utilité, de vérifier comment il est. Chez lui, il n'en a qu'un, petit, au-dessus du lavabo de sa salle de bain.

La femme coupée en deux

Un des hommes qu'elle a croisés dans la soirée s'approche de son visage, il commence à l'embrasser, elle ne s'y attendait pas, ses lèvres humidifient les siennes, les ouvrent, il ne met pas sa langue, pas encore, elle se demande ce qu'il va faire, jusqu'où va aller ce baiser, la salive de l'homme coule dans la sienne, s'y mélange, ses lèvres glissent sur les siennes, il ouvre sa bouche, il lèche ses lèvres, il les mordille puis les happe, comme des petits poissons vivants, les aspire, ils ont tous deux les lèvres qui deviennent molles, élastiques, elles se transforment ensemble, elles se promènent sur le chemin qui glisse laissé par la salive, elles patinent sans s'arrêter, comme si elles suivaient une musique, une valse qui tournoyait, puis il met sa langue, il la tourne à l'intérieur, il l'enfonce dans sa joue, caresse la doublure soyeuse, frôle son palais, rencontre sa langue, la prend dans la sienne, les fait se battre entre elles comme deux muscles nerveux, il ressort la sienne, puis il la réenfile entre ses lèvres, la tourne encore autour de sa langue, qu'il lisse, comme pour soigneusement y appliquer sa salive, elle ne sait pas ce qui va se passer, comment ça va évoluer, ce qu'ils vont faire après, elle s'inquiète, quelqu'un entre dans la pièce, il arrête, il recule, quand ils se reverront ils iront plus loin, la prochaine fois comment fera-t-elle quand il se rendra compte qu'il n'y a que sa bouche qui soit ouverte et que son sexe est fermé.

La coiffeuse à domicile

Elle a le même sourire qu'avant, avec le coin de la bouche qui se relève plus d'un côté que de l'autre, la même façon de soulever l'épaule, le même regard doux, marron doré, la seule chose qui ait changé, c'est la couleur de ses cheveux, elle est blonde avec des mèches cendrées. Avant, elle avait les cheveux châtain clair avec une raie au milieu, elle les mettait derrière ses oreilles, ou sous un bandeau rouge qui les disciplinait, pendant toute son enfance le rouge a été sa couleur préférée, elle avait même dit qu'elle voudrait avoir les yeux rouges, elle ne se souvient pas que les adultes avaient ri et qu'elle avait maintenu son point de vue, elle se souvient qu'elle jouait à la coiffeuse avec sa sœur pendant des heures, que les dents du peigne étaient tellement douces sur son crâne qu'elle aurait pu s'endormir, elle ne se souvient pas qu'elle avait répondu à sa mère qui lui disait « range ta chambre, comment tu feras quand tu seras grande ? » : « J'aurai une bonne ! »

Depuis quelques années elle avait plus ou moins arrêté de travailler. Elle ne faisait plus que de la coiffure à domicile, son mari avait sa retraite de militaire, ça leur suffisait, ils vivaient dans leur pavillon à la sortie de la ville. Mais elle vient de reprendre un emploi à temps plein dans un salon, et elle loue un petit appartement à côté. Quand elle a retrouvé son mari dans le garage, pantelant, groggy, près de la corde encore accrochée à la charpente métallique, elle s'est dit qu'elle en avait marre, elle l'a fait admettre à l'hôpital, elle a lancé une procédure de divorce, ils ont mis la maison en vente, elle a fait une demande de logement social, et s'est mise à la recherche d'un emploi à temps complet tout en gardant quelques clientes à domicile.

L'assigné

Il n'arrive pas à chasser de son esprit l'image du papier blanc qui était ce matin sur son paillasson, il l'a ramassé, c'était l'avis de passage d'un huissier, il y avait un numéro de téléphone, l'adresse où récupérer le pli, sa nature, une assignation, le nom de la personne qui l'assigne, il a tout de suite compris. Il a composé le numéro, une voix de femme a répondu, il a demandé si son cabinet était assigné aussi, la voix a répliqué sur un ton d'autorité : « On ne donne aucun renseignement. » Là il est allongé dans son lit. Il change de position, il transpire, il se met sur le dos, sur le ventre, sur le côté, il essaye de se détendre, les yeux fermés. Puis il les ouvre, il regarde l'heure. Il se lève. Il va dans la salle de bain. Les bras en appui sur le lavabo, les yeux droit dans le miroir, il regarde son visage dans la glace. Il se recouche. Il fait ça deux trois fois dans la nuit. Il se lève au petit matin. Il retourne dans la salle de bain, jette son pyjama par terre, il entre sous la douche. Pendant que l'eau chaude coule le long de son dos, il parle à voix haute : « Mon pauvre tu as cru que tu allais faire de la politique toute ta vie, regarde-toi. » Sous le jet d'eau tiède, il s'insulte : « Pauvre type va. » La buée s'accumule sur la vitre, qui s'opacifie, il continue : « Il faut être beaucoup plus fort que tu ne l'es pour faire de la politique toute une vie, mon pauvre ! » Il se savonne, commence tout un bilan derrière la vitre embuée : « Le jour où tu as été élu, tu t'es dit "je vais être heureux toute ma vie !", vingt ans après, tu es là, pendant toute la nuit, à naviguer entre ton lit et la salle de bains, à pas lents, avec des maux de tête, tu es pathétique, mon pauvre. Tu n'as même pas été capable de lire l'assignation, ta secrétaire a dû le faire à ta place, on te fait un procès, c'est la panique. Tu es ridicule ! Tu n'as aucune résistance. Ils avaient raison ceux qui disaient que tu étais dans une impasse ! Dans ta vie, tu n'auras rien réussi d'extraordinaire. Là, tu es en train de t'en rendre compte, voilà ce qui t'arrives. Tu te rends compte que tu es comme des tas de gens. Tu es comme tout le monde. La différence, c'est que les autres n'ont jamais pensé qu'ils avaient un destin eux, qu'ils allaient accomplir quelque chose pour leur pays, ils n'ont jamais eu les larmes qui leur montaient aux yeux en pensant qu'ils servaient la France, qu'ils allaient marquer leur époque. Alors que toi oui. Toi tu l'as pensé. Mon pauvre garçon ! Alors là tu t'effondres évidemment. Tu constates que ça ne sera pas le cas. Eh oui tu es comme tout le monde mon pauvre. » Il se parle avec mépris tout en se rinçant et en s'essuyant, puis il ramasse son pyjama, et d'un geste rageur, le jette dans le sac à linge sale.

L'étudiante en week-end

Dès le vendredi soir, ils sont déjà morts de rire dans un angle du salon, ils parlent de la fois où ils ont pris des champignons, de celle où ils ont mangé des gâteaux au haschisch à Amsterdam, ils fument de l'herbe, ils n'arrêtent pas d'éclater de rire, les parents sont absents, ils profitent de la maison vide, elle essaye de suivre la conversation. Puis elle regarde la pluie qui tombe dans le jardin.

Les parents dont ils squattent la maison ont un verger à la campagne, le lendemain, ils décident d'aller y cueillir des pommes pour faire des tartes. Ils prennent les voitures et ils y vont. Ils cueillent des pommes, ils montent sur l'échelle, ils se passent des paniers vides, ils les remplissent, ils se marrent. Elle est restée assise dans la voiture de son petit copain, elle les regarde.

Le soir, dans la maison, elle n'a toujours pas trouvé sa place, elle ne fait ni la cuisine ni la vaisselle, elle n'épluche même pas les pommes. Elle écoute ce qu'ils disent. De temps en temps il y en a un qui lui pose une question pour l'intégrer au groupe. Puis ils ne savent plus quoi lui dire. Elle non plus, elle ne peut pas parler de rock avec eux, elle ne s'intéresse à rien de précis, elle n'a rien à dire, elle a l'air de s'ennuyer. Quelqu'un lui demande si elle a une passion. Elle cherche un peu dans sa tête, et elle répond non.

L'ex-mari

Ils ont été brouillés pendant des années, elle l'a rappelé, ils se sont revus à la fin de l'été, ils doivent déjeuner ensemble le lendemain. Son téléphone sonne, le nom de l'ex-mari s'affiche. Elle sourit en prenant le téléphone, ils devaient fixer un lieu, d'une voix claire, gaie, elle répond :

— Oui.

— J'attendais le dernier moment pour t'appeler. Mais là... Je... Je crois...

— Tu as un problème pour demain ? Tu veux qu'on annule ?

— Oui, j'ai un problème de santé, on m'a trouvé une tumeur au poumon. Mais ne t'inquiète pas. Tu n'as pas au bout du fil une voix angoissée comme tu peux t'en rendre compte. Le médecin que j'ai vu dit que ça s'opère très bien.

— Tu le sais depuis quand ?

— Lundi.

— Tu t'en es aperçu comment ?

— J'avais de la fièvre et des maux de tête.

— Tu ne m'en as pas parlé quand on s'est vus la dernière fois !?...

— Je venais juste de prendre rendez-vous pour faire les examens. Je ne savais pas.

— Tu te fais opérer quand ?

— Dans dix jours et d'ici là je préfère...

— Oui tu as raison, il faut que tu te concentres là-dessus… Fais bien tout ce que tu dois faire hein, sérieusement. Tout. Tu me promets ?

— T'inquiète pas.

— Tu devais déménager !?…

— J'ai annulé. La fille de l'agence m'a dit qu'elle me gardait l'appartement, et que je pouvais la rappeler après l'opération.

— Tu n'es pas tout seul ? Ça va, tu es sûr ? Tu es toujours avec ton amie ? Elle est avec toi ?

— Non non je suis pas tout seul. T'inquiète pas. Elle est là. Je déménagerai après.

— Ça a l'air ridicule de le dire comme ça, mais… tu sais… je…

— Oui oui, je sais que tu es là. Dès que je pourrai, je t'appellerai. Pas tout de suite tout de suite après l'opération, disons huit jours après… en attendant on s'envoie des textos. Après on se verra, on se verra souvent. J'aurai besoin de voir les gens que j'aime.

— Mon heure sera la tienne, le midi, l'après-midi, le soir, quand tu veux.

— On ira manger dans un bon restaurant.

— D'accord. En attendant je t'embrasse. Et sache…

— Moi aussi je t'embrasse. Et je sais que tu es là.

Elle raccroche. Elle garde son téléphone un instant dans la main. Et elle reste comme ça quelques minutes, à regarder fixement le téléphone éteint.

L'homme noir

Le réveil vient de sonner six heures, il faut qu'il se lève, il ramène la couette sur sa tête, ses cheveux sortent du drap, sa femme caresse des mèches, pose la main sur sa joue, sur son cou, sur son torse, puis sur son ventre, soulevé par la respiration, elle s'attarde sur les flancs, un pli particulier du ventre, puis elle remonte, elle entrouvre sa bouche avec ses lèvres, l'embrasse. Puis elle lui dit à l'oreille :

— Il faut que tu te lèves mon amour, il est six heures passées...

— Je sais.

— Tu m'as dit de te réveiller à six heures, alors je te réveille mon amour, il est six heures dix.

— ... J'ai fait un rêve.

— Qu'est-ce que tu as rêvé ?

— J'ai rêvé que ma bouche était cousue de fil noir.

— Ohh mon amour !...

— Je pouvais plus parler, ma bouche était cousue de fil noir, ça tirait, c'était lourd, je pouvais pas ouvrir ma bouche. J'avais peur de faire éclater mes lèvres.

— Mon amour !...

— Ça se dit ici « cousu de fil blanc » !?

— Oui, bien sûr ça se dit.

— Qu'est-ce que ça veut dire ?

— Ça veut dire clair, explicite, évident.

Il va dans la salle de bain, ferme la porte, fait couler l'eau bien chaude, se met sous la douche, son corps est flouté derrière le rideau en plastique couvert de buée, on voit deux longues jambes et un fessier haut placé se dessiner en transparence.

L'écrivain en herbe

Allongée en jogging blanc sur le lit, et alors qu'une telle pensée ne lui avait jamais traversé l'esprit, elle prend le papier d'emballage de la tablette de chocolat qu'ils ont achetée et commence à écrire sur l'envers. Puis elle prend deux feuilles de papier à lettres dans un tiroir, elle continue, demande à son mari s'il peut descendre à la réception de l'hôtel et remonter du papier blanc, sans préciser ce qu'elle fait. Elle pourrait être en train d'écrire une lettre. Il remonte avec des feuilles blanches, elle continue de noircir les pages, puis elle les lui tend :

— Tiens regarde.

Comme si elle avait pris une photo de vacances et la lui montrait, sans aucune autre intention. Il se met à lui faire des éloges.

Elle reprend les feuilles, les relit. Incrédule. Puis elle continue, recto verso cette fois, et elle numérote les feuilles. Elle les lui donne. Pendant qu'il lit, elle observe l'expression de son visage, de sa bouche, de ses yeux. Il n'a pas changé d'avis. Il maintient, il insiste, confirme. Ça ne ressemble à rien de ce qu'il connaît, c'est très bien, c'est formidable, lui dit-il. Si c'est une plaisanterie, elle ne la trouve pas drôle, et préfère qu'il arrête plutôt que de la leurrer par de faux compliments. Sauf s'il en est sûr à cent pour cent. S'il dit ça pour lui faire plaisir, elle lui demande de cesser. Elle l'exige. Elle hausse le ton pour lui faire prendre conscience du danger qu'il lui ferait courir s'il mentait ou se trompait. Ou alors qu'il se justifie, qu'il explique. Il relit. Il redit la même chose. Elle veut savoir quels mots, quels détails, quels points précis, quelles phrases lui font affirmer ce qu'il affirme. Il lui montre des exemples sur le papier mauve puis sur les feuilles qui suivent, en pointant des mots avec son doigt. Elle continue d'avoir peur que ses sentiments pour elle le trompent. Qu'il se trompe et du coup la trompe. De gâcher sa vie pour rien si elle se met à y croire alors que c'est faux. Elle le prévient, dit que sa vie peut basculer, qu'elle peut arrêter tout ce qu'elle a fait jusque-là, ses études, ses projets de vie future, tout. Elle est en train de rêver d'autre chose, ne plus faire que ça, feuille blanche après feuille blanche, elle le prévient.

Puis ils s'endorment. Elle s'endort en pensant à ça. Le lendemain matin elle retourne chercher des feuilles à la réception elle-même, elle écrit encore un peu, elle lui fait lire les pages nouvelles. Puis ils partent sur la plage. C'est l'hiver, la plage est déserte. À part un ou deux chevaux au pas, et un ou deux chars à voile.

Ils longent la mer. Il y a du vent. Elle a une petite queue de cheval. Il est grand, protecteur, il lui parle, sa voix est chaude, il la berce de compliments pendant que leurs pas s'enfoncent dans le sable, ils se donnent la main, ils marchent à la lisière des vagues et des coquillages, il redit qu'il adore ce qu'il a lu. Ses compliments la rendent dingue, elle le lui dit. Et même, ses compliments l'agressent, essaye-t-elle d'expliquer. Elle sent qu'elle n'est déjà plus la même qu'avant le week-end. Qu'elle dévisse de ce qu'elle croyait être, et qu'elle pourrait modifier sa vie entière si elle se mettait à y croire. Ils longent la plage de long en large, ils ne parlent que de ça.

Ils marchent dans le sable trois jours comme ça, puis ils repartent chez eux. Ils en parlent encore dans la voiture. Au retour, elle se met à un petit bureau près de la fenêtre et elle continue. Elle écrit cent pages à la main sur une petite écritoire en bois ciré. Elle les lui fait lire au fur et à mesure quand il rentre le soir. Elle attend son verdict. Il y a parfois des petites retouches à apporter. Il peut trouver telle livraison moins bonne que la précédente. Elle termine un premier manuscrit, et elle ne pense plus qu'à ce manuscrit qu'elle traîne partout avec elle, elle le fait taper. Elle l'envoie à des éditeurs qui le lui retournent, tous, les uns après les autres, accompagné d'une lettre de refus, qu'elle trouve le matin dans la boîte aux lettres. Elle lui demande s'il ose maintenir son avis, continuer à penser que c'est bien, ce qu'il a à dire devant l'évidence de ces refus qui se multiplient. Il maintient. Elle continue, mais n'en peut plus de n'avoir pour avis positif que le sien.

Elle cherche du travail. Elle en trouve chez un avocat. Au lieu d'étudier une affaire, dans le dossier qu'elle est censée préparer, elle cache un cahier et elle écrit. En théorie elle est capable de comprendre ces affaires, elle ne les comprend pas, elle lit sans lire, les mots des dossiers glissent sous ses yeux sans qu'elle parvienne à les saisir. Elle est obligée d'abandonner ce travail. Elle est de plus en plus inquiète. Comment va-t-elle vivre, comment va-t-elle gagner sa vie ? Elle ne s'intéresse plus à rien qu'à écrire.

Il lui dit qu'ils vont vivre sur son salaire. Il la photographie à sa table. Le plateau de son bureau est une plaque en verre sur laquelle est posé un ordinateur qu'elle a acheté d'occasion, il se met sous le plateau, et il la photographie à travers le verre. Le soir, quand il rentre, souvent elle a encore reçu au courrier des lettres de refus. Elle écrit un deuxième manuscrit, puis un troisième, sans plus de succès, ça continue, rien ne change.

Les années passent. Elle a l'impression de gâcher sa vie à écrire des trucs qui n'intéressent personne, sauf lui. Parfois, elle se demande s'il n'est pas malintentionné, si ce n'est pas le seul moyen qu'il a trouvé pour la garder sous la main.

Le critique d'art

Dans un escalier en métal, dont les circonvolutions n'en finissent pas de s'entortiller comme à l'intérieur d'une coquille d'escargot, le critique d'art suit la foule qui descend les marches après le spectacle, tout en disant à la personne qui l'accompagne « on ne peut pas nier qu'il sache occuper l'espace mais chorégraphiquement c'est… », ses paroles se perdent dans le brouhaha général, il porte une veste en lin avachie, les poches sont déformées par un portefeuille, des clés ou un téléphone, on ne distingue plus les mots, mais on perçoit la voix qui ondule, il a les yeux bleus, les cheveux en brosse, et, à cause du vent qui s'engouffre dans les treillages de la structure de l'escalier, les pans de sa veste en lin volettent derrière lui.

L'avocat qui dicte son courrier

Il a tellement de choses à faire, il est tellement pressé, il a si peu de temps à lui, que le seul moyen qu'il a trouvé pour ne pas perdre de temps en dictant son courrier à sa secrétaire, c'est qu'elle le prenne en sténo le matin, pendant qu'il est aux toilettes, debout devant la porte fermée, derrière laquelle il crie suffisamment fort, et suffisamment distinctement, pour qu'elle puisse écrire sur son bloc la totalité du courrier de la journée, quand il tire la chasse d'eau, en général, il n'y a rien à ajouter, elle peut se rasseoir tout de suite derrière son bureau et le taper.

La manifestante

Par peur d'éclater en sanglots en public elle met ses lunettes de soleil, et elle sort. Elle prend le bus qui va à Châtelet. Pendant tout le trajet, elle tremble. Elle a les doigts glacés. Un rassemblement contre le viol est prévu au palais de justice, elle descend quai de la Mégisserie, elle traverse la Seine, elle s'assoit à une terrasse de café en attendant que le cortège se forme, une femme en noir avec un sticker CGT 93 collé au revers de sa veste discute avec une autre, qui tient un panneau enroulé, peu à peu la manifestation se met en marche derrière les banderoles dépliées. Elle suit, il fait chaud. Il y a du soleil. Le défilé traverse le pont, puis les gens piétinent devant le Théâtre de la Ville, une tribune s'improvise sous un arbre, l'organisatrice apparaît, les gens applaudissent, un petit groupe crie « le viol est un crime, la tentative de viol est un crime », « quand une femme dit non c'est non ». « Si seulement c'était aussi simple... », elle marmonne entre ses dents. Un journaliste lui tend un micro :

— Vous avez un avis particulier ? Qu'est-ce que vous pensez de tout ça ?

Elle lui fait signe qu'elle ne sait pas quoi dire.

— Vous n'avez pas d'avis particulier ?

Elle se déplace à l'ombre. Les discours se succèdent, quand le rassemblement se termine, une musique accompagne le départ des manifestants qui se diluent dans la ville. Son pantalon la serre à la taille, elle ouvre la ceinture, elle a mal au ventre, elle met une main dessus, appuie, avec l'autre main elle hèle un taxi pour qu'il la ramène, et monte pliée en deux dans la voiture.

Le fou

Il descend les escaliers vers le quai du métro, « elle conduisait la Rolls… cent ans… », dans les souterrains il hurle « cent ans elle conduisait la Rolls », sa voix résonne, « cent ans, tu vois le boulot un peu ! », il continue sur le quai, « cent ans, cent ans, faut le faire quand même, tu vois un peu, en Birmanie », il arpente le quai, le métro arrive, il entre dans une voiture, vous, vous entrez dans une autre, là, un homme se lève, avec des cheveux gris, s'approche en vous disant qu'il est galant, l'a toujours été, la courtoisie s'est perdue, vous pouvez prendre sa place, il demande si vous avez un ticket restaurant, puis il s'éloigne, après vous avoir conseillé de baiser le soir.

Le tribun

Il vous fait remarquer que, comme en latin, il rejette le verbe en fin de phrase, et le lâche au dernier moment, pour que le sens qu'il a délibérément retenu pendant toute la montée, comme on retient un cheval par la bride, éclate dans le lit de la rivière, selon l'expression qu'il emploie lui-même quand il étudie sa propre technique, se considérant comme s'il était son propre spectateur, et s'écoutant exposer ses idées comme s'il était dans le public, pour essayer de deviner à quoi tient son talent. Il vous fait profiter de ce regard qu'il a sur lui-même, pour que vous puissiez décrypter vous aussi sa manière de faire. Il vous explique que les mots sont des clés, qui ouvrent, ferment, contrôlent, maintiennent, apaisent, ou au contraire affolent la signification des choses, que, dans ce dernier cas, l'ordre s'en trouve perturbé, dézingué, que le rythme de la scansion se dérègle, qu'à la tribune il entre alors dans une colère, qui paraît soudaine mais qui est portée par les mots qu'il a choisis, le lit de la rivière bouillonne, il se cabre, ses lèvres s'humidifient, les mots semblent déraper, leur équilibre céder sous l'émotion qu'il contrôlait jusque-là mais qui se transforme en une colère homérique tandis qu'il se dresse torse gonflé, doigt levé.

Le fils de famille

Il se renverse en arrière avec une main sur le cœur en vous disant combien il est bouleversé par votre intelligence ! Il dit qu'il n'a connu qu'une seule personne qui l'était autant, il cite un génie politique dont il a été proche, vous assure que c'est le seul cas approchant. Que lui a des sacs d'anecdotes qu'il ne sait pas mettre en perspective. Il fait se succéder des tas d'histoires, sur des grands personnages, des morts, des vivants, qu'il a connus, connaît encore, et ne mentionne que les sommes au-delà de cent millions d'euros en matière d'argent. Il raconte qu'il a connu une femme, à la fin de sa vie, sa fille lui donnait à manger de la viande de chat, il parle volontairement de tout dans le désordre, et, tout d'un coup, après une minute de silence pendant laquelle il vous a fixée :

— Tu es belle… Est-ce que tu le sais au moins ?

Il vous laisse le temps de la réponse.

— Réponds-moi !

— …

— Alors !? Tu me réponds ? Est-ce que tu le sais ? Tu le sais ? Tu le sais oui ou merde ? Réponds-moi.

— Je ne sais pas.

— Ben moi je sais.

Comme s'il avait repéré dans une brocante un objet que les autres n'avaient pas su voir, avaient négligé n'étant pas connaisseurs. Lui qui pourtant ne collectionne pas ce genre d'objets a été capable d'en reconnaître la valeur, même si, ayant déjà beaucoup acheté, il n'est pas intéressé.

Ensuite il vous demande si vous voulez dîner, et ce que fait votre compagnon, vous pourriez l'appeler, lui appeler le sien. Vous vous retrouvez dans un restaurant, l'un de vous quatre dit quelque chose de drôle, et, comme si vous étiez dans un salon privé, dont les murs épais seraient parfaitement isolés du reste de l'établissement, il éclate de rire comme s'il allait ne jamais s'arrêter, et que ce n'était sûrement pas les conventions qui allaient le freiner, il pousse des cris, tout le monde regarde votre table, il ne prend pas la peine de dire qu'il s'en fout, il raconte une histoire, vous riez vous aussi à gorge déployée, il mime tous les personnages, il imite les voix, les visages, l'histoire pourrait durer tout le dîner, la nuit entière, le rythme ne jamais faiblir, un sketch succède à un autre dès que le précédent commence à s'épuiser, il parle de quelqu'un qui est jaloux de lui parce que tel génie littéraire se pissait de rire dessus en sa compagnie alors que la sienne l'ennuyait, puis de son amitié irraisonnée pour tel paysan des Cévennes qui ne peut pourtant rien lui apporter. La main posée sur celle de votre compagnon, ou sur son avant-bras, il dit que celui-ci a la peau douce, lui enjoint de ne pas bouger, il ne va pas le violer, il en évalue le grain en faisant glisser sa paume vers son poignet, son avant-bras, la serveuse apporte l'entrée, pose les assiettes devant chacun, et dit « bon appétit ».

« Et si j'ai mauvais appétit ? », rétorque-t-il pour lui rappeler que ce qu'elle croit de la politesse est de la grossièreté, son compagnon s'esclaffe, vous commencez à manger, le rythme des rires ne faiblit pas, jusqu'au dessert, jusqu'au café, vous êtes les derniers à quitter les lieux tellement vous riez, le lendemain il vous téléphone, le surlendemain, le jour d'après, chaque fois il a une information, une nouvelle à vous faire partager, un détail exceptionnel, un propos positif qui vous concerne, un éclat à vous raconter, qu'il a fait en public parce qu'on disait du mal de vous, un claquement de porte, une déclaration à la personne qu'il ne franchirait plus son seuil, puis il vous dit que ce qui le rend heureux, c'est que votre amitié à tous les deux, et à tous les quatre si on compte vos compagnons respectifs, ne s'éteindra jamais. Que c'est à la vie à la mort. Qu'il serait prêt à tuer quelqu'un qui touche un de vos cheveux :

— Un. Tu m'entends ? Un seul de tes cheveux. Un seul.

Le lendemain vous apprenez qu'il a fêté son anniversaire sans vous avoir invitée alors que le matin vous le lui aviez souhaité, l'ami qui vous l'apprend n'a même pas l'impression de trahir un secret ou de faire un impair, votre nom n'a même probablement jamais été suivi d'un point d'interrogation.

Quand vous êtes fatiguée, il est prêt à venir dans votre quartier. Un jour, il monte chez vous. Il entre dans l'appartement, voit les arbres verts, les branches qui se balancent devant vos fenêtres, les feuilles, vert tendre, rouges, un arbre fleuri, tous les autres épais, fournis, touffus, il tourne la tête vers vous tout en gardant le corps face à cette vue, et, en donnant un coup de menton vers le dehors, dit :

— C'est beau ça !

Vous vous apprêtez à accuser réception du compliment que le collectionneur, qui a déjà beaucoup de choses et ne collectionne de toute façon pas ça mais vous fait profiter de son expertise, adresse à votre environnement, le sujet n'est pas clos :

— C'est persistant ?

Vous demande-t-il comme il le ferait chez Drouot d'un meuble dont il reconnaît l'allure mais veut savoir s'il est signé avant de se prononcer. Vous voilà forcée de répondre que non. Les feuilles tombent en hiver. Après avoir quand même précisé qu'à l'automne il y a de belles couleurs. Vous avez été obligée d'avouer que, l'hiver venu, vous n'aurez plus en face de vous que des branches noires sur un mur gris.

Le juge

Assis à sa place dans le prétoire, il a sur le visage l'expression sereine de l'objectivité, son buste, encadré par celui des assesseurs assis comme deux chandeliers qu'on aurait posés à côté de lui pour l'éclairer, émerge de la table surélevée, du fond de la salle on ne distingue ni ses traits ni ceux des deux magistrats silencieux qui l'enserrent. Les avocats, les parties, le public, la presse, qui s'étaient levés par respect pour la République à leur entrée, se sont rassis quand il l'a été, dans sa robe surmontée d'un visage flou, maintenant, il résume l'affaire, avec son air impartial, il couvre les accoudoirs de son fauteuil des grandes manches de sa robe noire, et sur le dossier ouvert devant lui, il pose des yeux si calmes, qu'on peine à croire qu'il ait pu dire quelques semaines avant l'audience à un jeune avocat dans un couloir, à propos du défendeur, assis sur un banc au fond de la salle, qu'il ne serait pas fâché de se le payer.

Le père étranger

Après le déjeuner il sort de la maison en disant à sa fille de le suivre. Il est rentré il y a quelques semaines de treize années en Égypte. Elle avait quatre ans quand il est parti, elle en a dix-sept. Il commence à arpenter l'allée du jardin. Elle marche à côté de lui, il la compare aux enfants de son frère, et pour appuyer sa démonstration, la rendre bien visible, il accompagne sa comparaison d'un geste précis. Il place ses deux mains en parallèle, paumes face à face, et les fait changer d'axe, les translatant d'un côté à l'autre du jardin. Les deux paumes face à face se déplacent sans changer d'intervalle, pour montrer qu'il y a, d'un côté de l'allée, les enfants de son frère, qui sont... à ce moment-là il dit une qualité, et de l'autre... elle, les mains ont changé d'axe, il dit le défaut. Pour séparer, il garde la même position des doigts serrés, et le même espace entre les deux paumes, qui restent bien face à face, tandis qu'il les translate vers l'autre côté de l'allée pour dire le défaut, qui fait pendant à la qualité. Il stoppe son geste par une petite saccade, un petit rebond. Ses mains trient, d'un côté de l'allée, les enfants de son frère, de l'autre, sa fille, qui marche à côté de lui. L'écart entre les deux mains parallèles reste le même pendant tout le temps de la promenade, les longs doigts blancs aux ongles limés en ovale restent bien tendus dans le prolongement des paumes, jusqu'au petit rebond. Seul l'axe change. L'orientation. Pour faire le virage, il met le pivot au niveau de ses coudes, comme les essieux d'un essuie-glace sur une vitre qui balaye les gouttes d'eau sans jamais perdre l'ancrage de leur fixation au bas du pare-brise. D'un côté, « tes cousins sont beaux », avec les deux mains vers la gauche de l'allée. De l'autre, « tu es laide », avec les deux mains toujours parallèles mais cette fois vers la droite de l'allée. Puis, « ils sont intelligents » à gauche, « tu es bête » à droite, la voix suit le rythme du geste et la prononciation, syncopée, accompagne la translation des mains comme une musique accompagne une danse. Entre deux observations il laisse un silence, pendant lequel il change d'axe, comme on change de paragraphe. Ensuite, quand les mains sont bien positionnées d'un côté ou de l'autre de l'allée, chaque séquence n'a besoin que d'un mot, bête d'un côté, intelligent de l'autre, chacune rythmée par le geste et le refrain tes-cousins/toi, ils-sont/tu-es. « Ils sont polis et bien élevés » à gauche de l'allée, changement d'axe, « tu es mal élevée » à droite, changement d'axe, « ils sont instruits », toujours sur le même principe, « tu es ignorante », etc., ils arrivent tout au fond du jardin, il s'arrête, il reste un instant sans bouger face à la rivière, et dit qu'en conclusion il aurait honte de la présenter à sa mère, avant de faire le chemin en sens inverse pour remonter l'allée en silence vers la maison.

Le grand acteur de théâtre

Il entame la dernière volée de marches de l'escalier, il descend sur le tapis central, et, juste avant de poser le pied sur le sol dallé du rez-de-chaussée, il sourit à la personne qui l'attend à la réception, le bout du pied sur la dernière marche, comme en équilibre sur le dos d'une vague avant qu'elle se brise, puis il traverse le hall dans sa direction, il lui tend la main, dit d'une voix extrêmement claire :

— BONJOUR.

Il se présente. Détache les trois syllabes de son nom comme un fouet qui claque dans le brouhaha du hall. Elle le précède dans la cour de l'hôtel, il lui tient la porte, désigne une table en fonte recouverte d'une nappe blanche, sous un grand platane, l'ombre des feuilles se dessine sur la blancheur de la nappe et les plis symétriques du repassage.

— QU'EST-CE QUE TU VEUX BOIRE ?

Le serveur porte un gilet rayé vert et blanc, il apporte une orange pressée dans un grand verre rempli de glaçons, il pose une carafe d'eau fraîche sur la table.

— ALORS ÉCOUTE, AVANT TOUTE CHOSE, JE VAIS TE DEMANDER DE M'EXCUSER.

La voix claire est distincte, les mots sont parfaitement découpés entre eux, parfaitement détachés les uns des autres, parfaitement audibles, sans intonation factice, et sans que la fluidité de la phrase en soit affectée :

— EXCUSE-MOI. JE VOULAIS TE DIRE ÇA AVANT TOUTE CHOSE. ALORS JE TE LE DIS. JE TE DEMANDE DE ME PARDONNER À L'AVANCE. AVANT QU'ON COMMENCE À PARLER. PARCE QUE : MOI JE N'AI PAS FAIT D'ÉTUDES, JE NE SUIS PAS UN INTELLECTUEL, ALORS JE TE DEMANDE DE M'EXCUSER AVANT TOUTE CHOSE SI JE CHERCHE MES MOTS OU SI J'AI DU MAL À EXPRIMER MES IDÉES.

Une demi-heure plus tard, il lui parle du *Cid*, et de l'infante comme s'il la connaissait, il dit qu'elle ne peut avoir Rodrigue que mort, mais que ça ne l'arrête pas, que c'est une femme que rien n'arrête, qu'il rêve d'une mise en scène où elle serait taxidermiste, où il y aurait des oiseaux empaillés, il parle de la dégueulasserie des pères, Don Diègue, Don Gomès, qui foutent la vie des gamins en l'air. Elle lui dit qu'elle est allée voir *Le Misanthrope* la veille. Il n'est pas d'accord avec la vision du metteur en scène, il dit que Célimène en vérité n'aime pas Alceste, qu'elle le tolère, qu'il le sait très bien, qu'Alceste le dit, « VOUS VOUS MOQUEZ », que quand elle lui dit « le bonheur de savoir que vous êtes aimé », elle dit ça comme elle dirait autre chose, qu'elle a surtout un truc avec Oronte.

Dans un autre bar d'hôtel des années plus tard, il lui dit qu'un jour, en tournée, il a eu peur. Il était sur le plateau, et tout à coup il a eu un trou. Un trou comme jamais. Il a été obligé de sortir de scène, il ne savait plus ce qu'il faisait là, il a failli tomber par terre. Quand il est rentré à Paris, il s'est mis à avoir des angoisses tous les jours en pensant à ce trou. Il est retourné voir son analyste, il a compris que ce trou, qui l'angoissait, était celui qu'il avait fait dans sa lignée. Depuis plusieurs générations les garçons de sa famille étaient tous menuisiers, lui-même était en apprentissage quand il a vu pour la première fois une pièce de Molière et a dit à son père qu'il arrêtait tout pour prendre des cours de théâtre, c'était ce trou-là qui lui faisait mal. La voix claire dit, en détachant bien les mots : « J'AVAIS MAL AU TROU tu comprends ? », et la bouche a un pli douloureux.

La reine des abeilles

Elle est une femme en réalité, mais, comme la reine des abeilles qui vit dans une ruche, elle est le seul individu fertile de la colonie, que quelqu'un puisse avoir d'autres critères que les siens, une autre idée de la fertilité, n'atteint pas son psychisme, elle le combat tellement ça n'entre pas dans ses catégories, elle est convaincue d'être la seule personne fertile qui existe, d'une certaine façon c'est vrai, ses enfants sont des répliques d'elle-même, des doubles, des clones, elle se reproduit, au sens propre, se duplique, et, puisque, dans le monde de la ruche, la reproduction est le seul travail pour lequel une femelle est considérée, toute personne qui contesterait l'exceptionnalité de sa fonction, et la façon exceptionnelle dont elle s'en acquitte, se verrait aussi combattue par les autres, avec l'aide énergique des bourdons, et des ouvrières qui la servent, elle se nourrit du travail des autres, elle ne travaille pas, elle a besoin de tout son temps pour faire respecter son autorité, son abdomen est plus grand que celui des autres, plus long, plus étiré, plus volumineux, il n'y a qu'une mère, elle, et elle est la mère de la plupart, ou même de la totalité des ouvrières, sa taille lui permet une ponte aisée, elle a un régime spécial de gelée royale, son régime alimentaire la met à part autant que son régime social, à l'intérieur de la ruche on la remarque tout de suite, nourrie, protégée, entourée, obéie sans qu'elle ait besoin de rien dire, la survie de l'espèce dépend de son règne, un essaim qui perd sa reine commence immédiatement à en choisir une autre, il se met à nourrir plusieurs nymphes de gelée royale, et, la première reine qui éclot part à la chasse des autres cocons, tue les nymphes concurrentes, et s'élance dans le vol nuptial, une nuée de bourdons à sa suite, elle s'accouple, en plein vol, avec plusieurs mâles, jusqu'à ce que sa spermathèque soit remplie, les mâles qui l'auront fécondée meurent, tous, peu de temps après, leurs organes génitaux ayant été arrachés, et, détail important, comme son dard n'a pas de crochet, il ne reste pas pris dans la peau humaine, elle ne meurt pas, elle peut piquer qui elle veut, et continuer impunie.

L'agrégatif

Il a un rire très particulier, qui au lieu d'exploser à la fin, tressaute dans sa gorge en même temps que ses épaules, dont l'une se rapproche de son oreille en arrondissant son dos comme pour le protéger. Il a envie d'être heureux, il veut un travail stable qui lui rapporte un salaire correct, il n'a pas besoin de devenir riche, il aime enseigner, il veut avoir du temps pour lire, vivre bien en ayant un métier qui lui plaît, il prépare son concours, il travaille un nombre d'heures énorme sans se laisser distraire, il a une puissance de travail hors norme, quand il se fixe un but, il met tout en œuvre pour y parvenir. Il donne huit heures de cours dans un collège, comme remplaçant, après il rentre chez lui, il mange quelque chose de rapide, il se remet à son agrégation pendant six heures sans lever les yeux de sa table, ensuite il prépare ses cours du lendemain, et fait des mouvements de gym pour corriger les positions assises de son dos, avant d'aller se coucher pour se reposer et être en forme le matin. Il repart au collège, rentre, recommence exactement pareil. Avec sa copine ils font régulièrement ce qu'il appelle « des bons petits repas ». Il aime les marches en montagne avec un sac à dos, les randonnées, les grosses chaussures, les sandwichs au fromage au sommet d'une montagne. Il regrette qu'elle n'ait pas envie de le faire plus souvent. Il lui reproche de ne pas partager avec lui ce genre de moments, il aimerait qu'ils fassent des randonnées et de la cuisine ensemble, qu'ils soient actifs. Il lui parle de son envie de monter un groupe de rock, il compose des chansons, il les lui joue à la guitare, et, pour se prouver à lui-même qu'il en est capable, il va les chanter à des terrasses de café, et après il passe entre les tables pendant qu'à distance sa copine le regarde.

Les convives

Ils déjeunent derrière leur maison à l'abri des regards, face à un champ cultivé, ils apprécient leur tranquillité, ils parlent du bonheur de n'avoir comme témoin que l'épouvantail coiffé d'un chapeau, et vêtu d'une veste trouée, pour faire fuir les corbeaux qui tournoient au milieu du champ.

La femme aux ongles orange

Les doigts sont longs, la peau est claire, les veines bleues visibles sous la transparence, les ongles limés en ovale, laqués par un vernis orangé, la main écarte le voilage, la femme regarde par la fenêtre de la cuisine si sa fille est en train de traverser le terrain vague avec son sac à dos, c'est vers cette heure-là, le soir après l'école, que le bus la dépose au centre commercial. Elle a mis un bol sur la table, elle versera le lait dans la casserole dès que sa fille apparaîtra. Il y a un buffet en bois fixé au-dessus de l'évier, elle l'a fait faire par un menuisier, les portes sont peintes en blanc, le renfoncement des étagères en orange. Sur celle du bas, il y a des pots en opaline blanche, décorés de motifs de légumes, sur chacun il y a une inscription différente suivant le contenu, farine, sucre, sel, thym, laurier, café, bonbons. À la droite du terrain vague, il y a un grand parking. Sa voiture y est garée. Un peu plus loin, un foyer de jeunes travailleurs avec un toit en pente asymétrique. Puis les champs à perte de vue. Elle lâche le rideau, va s'asseoir dans le salon, sur le divan, qu'elle a recouvert elle-même, de velours mordoré, elle feuillette un magazine de décoration, le dos calé contre les coussins, corne une page qu'elle veut pouvoir retrouver, elle a entendu sonner. Quand elles sont arrivées dans cet appartement, son mari venait de mourir, sa fille avait cinq ans. Ça lui déchirait le cœur de voir la petite fille ouvrir la fenêtre, scruter les nuages, et se mettre à crier, de toutes ses forces « papa, papa », en direction du ciel, espérant qu'il apparaîtrait puisqu'il était censé y être.

Ses pantoufles glissent sur les dalles du couloir, puis :

— Tu as encore oublié tes clés ?

Elle embrasse sa fille, retourne dans la cuisine, pose la casserole de lait sur le feu, prend le chocolat en poudre dans le buffet, sort du frigidaire le gâteau à la semoule qu'elle a préparé dans l'après-midi, l'enfant s'assied devant son bol, sort de son cartable son bulletin du trimestre et le lui tend.

— C'est bien ma bichette.

Elle lui caresse les cheveux, s'assoit, pose sa main chaude sur la sienne.

— C'est bien, c'est très bien ma bichette.

— Elles sont douces tes mains maman.

— Ton papa aussi il me disait ça. Il voulait que je lui lâche la main pour qu'il puisse me la reprendre, il disait que ce qu'il aimait le plus c'était glisser sa main dans la mienne, donc il la retirait, il restait un instant sans me la donner, le temps d'oublier, et il la reglissait dans la mienne. Il disait que j'avais un fluide.

— Elles sont belles.

— Tu es gentille ma bichette.

— Tu devrais faire un concours de beauté des mains maman.

Elle caresse les mains de sa mère.

— Ah la la, ma petite bichette.

La femme retire sa main, tapote celle de sa fille, recule sa chaise pour s'occuper du lait qui monte dans la casserole

— Tu le gagnerais. Je t'assure. Pourquoi tu veux pas ? Pourquoi tu ris ?

L'employée du guichet

Elle fume à l'extérieur de la gare cinq minutes, avant d'aller rejoindre sa place derrière le guichet. Le jour se lève, le ciel transparent est stratifié de couleurs qui s'effilochent, et comme tous les matins elle expire la fumée en renversant la tête vers sa limpidité. Elle travaille quatre jours de suite de six heures à quatorze heures, elle a deux jours de repos, puis elle travaille quatre jours de quatorze à vingt et une heures, de nouveau elle a deux jours de repos, ce sera comme ça pendant les six mois qui viennent. Elle a pris le bus de nuit à la place de Clichy, ceux qui y avaient dormi étaient encore allongés sur les sièges, elle a mis son réveil à quatre heures et demie pour être à son arrêt à cinq heures et quart, arriver à la gare du Nord avant six heures, et avoir le temps de cette cigarette, qu'elle fume en regardant les nuages se dissiper dans l'air. Puis elle entre dans le hall, et s'assoit derrière le guichet 27. Les clients lui apparaissent les uns après les autres dans un cadre à peine plus large que le buste et le visage, elle leur sourit, aimable, elle ne s'impatiente jamais, elle leur dit qu'elle est à leur disposition, explique, cherche la réponse à leur situation, sans toutefois perdre le rythme de la moyenne de clients qu'elle doit renseigner par jour, elle les regarde d'une certaine façon, c'est son public, elle est comédienne, elle a joué *Lady Macbeth* à sa sortie du conservatoire, elle module sa voix, elle utilise beaucoup les graves, plus la journée avance, plus les agents, pour fendre la masse sonore de la gare, qui s'amplifie, hurlent à travers leur hygiaphone. Cette file d'attente est la partie agréable de son travail, c'est devant ce guichet, plus la journée avance, que la file devient la plus longue, ceux qui ont un problème compliqué apprennent qu'on pourra les y aider, elle place sa voix, enrobe dans les graves les mots importants, reçoit les usagers comme s'ils allaient tous, les uns après les autres, l'applaudir. Ses cheveux blonds coupés court sont impeccables, son rouge à lèvres ressort sur sa peau blanche, elle a les dents parfaitement alignées, elle avait fait corriger par son dentiste les défauts qui auraient été rédhibitoires à l'image, elle regarde le client au fond des yeux, avance le buste vers le comptoir, certaines situations l'émeuvent, comme cette personne venue rendre le billet d'un mort pourtant non remboursable afin de libérer un siège et que quelqu'un puisse en profiter. Elle s'occupe du Thalys, elle parle trois langues sans accent, elle traite avec des hommes d'affaires, des parlementaires qui partent à Bruxelles, des journalistes, des étudiants, des touristes, des couples, avec les couples elle a remarqué que c'est toujours la femme qui fait la queue, l'homme reste en retrait, elle ne le voit pas, la femme parle, donne sa carte bancaire, avec l'homme elle n'a aucun contact, à moins que la carte de la femme soit refusée pour un plafond dépassé ou un magnétisme usé, une main forte se tend alors, se pose sur le comptoir, tenant entre deux doigts une carte American Express en métal noir, elle saisit le petit rectangle, et, avant de l'introduire dans la machine, elle en éprouve la froideur, l'épaisseur et le poids.

La chatte

Quand il est allongé par terre, qu'il prend sa petite tête entre ses mains, la chatte appuie son front sur le sien, dans cette position, front contre front, elle ronronne, et les sons se communiquent entre les deux boîtes crâniennes. Ou elle glisse sur le parquet à côté de lui, elle court, elle dérape, il la prend, l'emmène dans son lit, il la met tout au fond avec lui, comme sous une tente, dans un sous-marin ou une grotte.

Ils sont de plus en plus proches, et un soir, en rentrant de l'école, il va dans sa chambre, il entend miauler dans son placard, il ouvre la porte, elle est là, et il y a quatre petits chatons sur ses vêtements mouillés, c'est là qu'elle a fait sa portée, c'est une très grande maison, elle aurait eu plein d'autres endroits, il prend ça pour une marque de confiance.

Le chômeur de longue durée

Ils font un tour dans le quartier, ils marchent sur le trottoir en se donnant la main, et au moment où ils traversent la rue, elle lui lâche la main, et se tourne pour lui faire face :

— Est-ce que je peux te poser une question ?

— Bien sûr.

— Je te préviens, ça va t'énerver…

— Dis.

— … j'ai besoin de te la poser, parce que…

— Vas-y.

— Comment ça se fait… que tu ne fais rien pour régler ton rapport à l'argent ? Tu ne veux jamais en parler, il faut qu'on en parle, moi j'ai besoin de comprendre…

— …

— C'est important qu'on arrive à en parler.

— …

— J'ai vraiment besoin que tu y réfléchisses.

— Je sais pas.

— On ne peut jamais discuter. On n'arrivera à rien. Je vois pas comment on peut rester ensemble si on peut pas parler.

— Ok, tu veux que je te rende les clés ?

— Ça y est ! C'est reparti !

— C'est tes clés non c'est chez toi ? Si tu dis qu'on n'arrivera à rien, on n'a qu'à se séparer !

— J'ai pas le droit d'exprimer des doutes ?

— Si, mais moi je vais pas m'imposer. Je suis pas avec toi par intérêt, moi je m'en fiche de tout ça.

Il fait un geste circulaire du bras.

— Tu vas pas recommencer avec ça.

— Si tu penses que tu peux pas parler avec moi, tant pis.

— On peut tous avoir des difficultés. Pourquoi on peut pas en parler ?

Il se tait.

— Tu peux me répondre ?

— Il y a pas de réponse.

— Est-ce que tu accepterais d'y réfléchir au moins ?

— …

Son visage est fermé.

— Jamais tu ne reconnais qu'il peut y avoir des problèmes.

— Moi j'ai pas de problèmes.

— Tu peux comprendre que je sois angoissée par la situation.

— Et les prostituées qui vendent leurs fesses derrière la gare elles sont pas angoissées par la situation ?

— C'est parce que je vends pas mes fesses derrière la gare que j'ai pas le droit d'être angoissée ? C'est ça ?

Ils longent l'église à quelques pas d'intervalle l'un de l'autre, ils ne marchent plus côte à côte, la distance s'est creusée, ils étaient sortis pour aller chercher du pain, ils vont arriver à la boulangerie, elle a un pas d'écart avec lui, avant d'entrer dans le magasin il se retourne vers elle :

— Qu'est-ce que tu veux ?

— Rien de spécial. Comme d'habitude.

— Tu veux un chausson aux pommes ?

— Je m'en fiche.

Il entre, elle attend à l'extérieur. En sortant il serre la main du clochard assis par terre sous la vitrine, puis ils arrivent devant chez eux. Elle monte, et lui reste dehors pour essayer de trouver une cigarette.

Le directeur financier

Il est fier d'aimer la poésie, d'aimer le bleu, si le bleu n'existait pas, il dit sourire aux lèvres qu'il l'inventerait, il a acheté chez Deyrolle une collection de papillons bleus, sous verre, épinglés par séries, les ailes déployées, encadrés d'un jonc en acajou. Il prend un bain chaque soir, il les a mis dans sa salle de bain, et accrochés au-dessus de sa baignoire pour lui permettre de rêver.

L'ex-mannequin

Elle a un profil net et découpé, une grande bouche pulpeuse, des yeux de tueuse acérés, elle a été mannequin, elle est sur le point de se marier avec un homme d'affaires, tout en se laissant courtiser par la jeune femme au corps nerveux qui l'attend à la terrasse du café où elle traîne depuis le début d'après-midi avec ses amies curieuses de la rencontrer. C'est le début de l'été. Grande, mince, musclée, les cheveux bruns coupés au carré, elle arrive, la conversation commence, rapide, rythmée, elles sont cinq autour de la table à lui poser des questions, sauf l'une d'entre elles qui ne dit rien. Les autres alimentent un feu roulant d'interrogations, son mariage futur, ce qu'elle veut faire de sa vie, ses passions, elle répond, elle sourit. Quand elle se lève pour aller aux toilettes, son large pantalon bleu marine flotte autour de ses pas, elle porte une blouse en soie resserrée sur les hanches par un cordon coulissé, elle a des sandales plates à fines lanières, elle n'a pas de rouge à lèvres, au contraire de celle qui se tait tandis que les autres rivalisent de vivacité, corps tendu vers l'avant, mains vivantes, sourires exagérés et rires permanents. La jeune femme amoureuse raconte qu'elle la fait attendre, badine, l'ex-mannequin rétorque qu'elle se marie dans quinze jours, quelqu'un lui pose la question de ce qu'elle fera de son temps après, elle répond qu'elle travaillera avec son mari homme d'affaires mais qu'elle peint aussi, et en laissant partir la fumée de sa cigarette vers le ciel elle dit : « De toute façon moi je veux tout ! » La femme silencieuse décolle son dos de la banquette : « Vous voulez tout ? Eh bien vous n'aurez rien ! », et elle ponctue sa phrase d'un rire bref.

Le petit garçon des rues

Il circule dans les limites de quelques rues, librement, entre sa maison, sa cour, son école et deux ou trois ruelles, qui, d'un endroit à l'autre, comme les nervures d'une feuille, quadrillent son chemin. Dans sa cour il y a un trou dans le mur, il voit sa rue à travers quand il monte sur une racine, il voit quelqu'un qui passe ou simplement le mur d'en face, après l'école il rentre chez lui par les ruelles, en chantant et en sautant, les deux mains devant lui, serrées, comme s'il tenait des rênes imaginaires, et galopait, hurlant à tue-tête le même refrain, des passants lui sourient, quand ils lui demandent de le refaire, il le refait, il caracole, il n'a pas besoin de musique, il galope en maîtrisant les ruades de son cheval imaginaire, il se cambre pour suggérer que le cheval se cabre et qu'il tire sur les rênes, toujours en chantant, et quand il ne sait plus les paroles il les reprend au début.

Le vendeur

Il a été longtemps au chômage, il avait même répondu à une annonce pour participer à un tournage dans sa région, il avait été pris comme figurant, il n'a même pas aperçu sa tête dans la foule quand le film est passé à la télé. Il travaille dans un magasin de meubles de la périphérie où il est payé au pourcentage, celui qui réalise la vente la déclare à son nom et encaisse le pourcentage, même si c'est quelqu'un d'autre qui a fait tout le travail de conseil auprès du client, la veille, l'avant-veille, ou la semaine d'avant, que le deuxième n'a eu qu'à cueillir un fruit mûr le jour de l'achat qui s'est fait en deux minutes, le jour de repos de celui qui a conseillé le client. L'ambiance au magasin s'en ressent, quand il rentre chez lui le soir, on voit tout de suite à son visage comment s'est passée sa journée, il passe la soirée entière silencieux devant la télé, son humeur dépend des ventes qu'il a ou non réalisées, sa femme ne sait plus comment lui parler. Ils ne font plus rien, ils ne partent plus en vacances, ils ne vont plus au cinéma, à moins d'être sûrs que le film va leur plaire, qu'ils vont rire, se détendre. Ils trouvent les films comiques moins bons qu'avant, moins drôles, ils rient moins. La dernière fois, en retournant vers le parking, il a avoué qu'il s'était même forcé à rire par moments.

Son professeur de dessin avait dit qu'il fallait l'inscrire aux Beaux-Arts, il n'en veut pas à ses parents de n'avoir pas pu lui payer d'études, il peint par plaisir, des Miró, des Picasso, des Braque, il fait des petites sculptures sur bois, avec un couteau. Il y en a une sur la cheminée du salon, un paysan avec un chapeau, armé d'une fourche.

Le dimanche en famille, à table, il parle de la vie qui aurait pu être la sienne, le regard un instant rêveur, mais très vite, le corps en avant face à son public, il se met sur le bord de sa chaise, les coudes sur la table, il les regarde, leur explique ce qu'il fera le lendemain si un gros paquet d'argent lui tombe du ciel, il captive leurs regards, concentre leur attention, ils ont des mines revenues de tout, mais leurs sourires sont affectueux, ils ne haussent pas les épaules, sa femme débarrasse la table, demande à sa fille de lui passer les couverts, il fait celui qui ne craint pas leur défaitisme, et qui pourrait les surprendre, il commence à faire des blagues, il fait un geste au niveau de son assiette pour figurer un gros paquet de billets, la tablée commence à rire, ses bras s'élargissent pour contenir la somme, un héritage inattendu, d'une parenté dont il n'avait pas idée, ou le Loto, le Tiercé, tous les week-ends il va au bureau de tabac, il mise une petite somme régulière, il joue avec son gendre, assis à l'autre bout de la table, il énumère tout ce qu'il fera avec l'argent, il n'imagine pas le gain maximum, il se contenterait d'une cagnotte moyenne, d'une somme qu'on peut gagner, puisque récemment dans telle région c'est arrivé, il imagine des pactoles raisonnables, des cas qui existent, ça changera sa vie, il y aura des choses auxquelles il restera fidèle, il calcule un montant global, il le divise, il le voit, il en voit le volume, les possibilités que ça lui donnera, il distribue par avance les cadeaux qu'il fera, il y en a un pour chacun autour de la table, il termine par le voyage qu'il offrira à sa femme.

Le soir, quand tout le monde est parti, il regarde un film à la télé dans son fauteuil en velours, une scène de cocktail dans un jardin, les tables sont couvertes de nappes blanches et de petits-fours, des hommes passent en smoking, des femmes glissent sur la pelouse en robe du soir, une coupe de champagne à la main. Sans quitter l'écran des yeux, il dit qu'il aimerait bien un jour lui être invité à une réception comme celle-là.

La femme rousse

Il y avait deux jours de train, un pour l'aller, un pour le retour, une journée à Venise entre les deux, elle avait couru après les pigeons, acheté une gondole avec une petite danseuse qui tournait, et un gros cendrier en verre soufflé, c'était la première fois qu'elle partait sans ses parents, en voyage scolaire, elle avait acheté un chapeau de paille avec le ruban traditionnel des gondoliers, elle l'avait mis sur sa tête, aujourd'hui ses cheveux sont blancs, mais à l'époque, quand la classe avait fait un tour en vaporetto, leur guide italienne lui avait dit sur le bateau, en français, qu'elle avait les cheveux de la même couleur que ceux des vierges sur les tableaux des peintres vénitiens. Au retour, dans le train-couchette, tout le monde dormait. À la douane, le contrôleur avait ouvert la porte de leur compartiment en leur demandant leur carte d'identité, la lumière du dehors entrait, blanche, aveuglante, elle avait sursauté, s'était mise à chercher ses papiers dans son sac, affolée, mal réveillée. Mais elle était rassurée de savoir qu'ils étaient en train de repasser la frontière.

Le couple qui se déchire

L'homme déplie le canapé-lit du salon, la femme donne les consignes du soir aux enfants qui se lèvent de table, se lavent les dents, se mettent en pyjama, lisent un peu, avant d'éteindre la lumière, elle finit de ranger la cuisine, dans le salon la télé est allumée, l'homme est appuyé sur les oreillers dans le canapé déplié, elle éteint le néon au-dessus de l'évier, traverse le couloir qui va à sa chambre, et referme la porte derrière elle. Mais tout à coup, au milieu de la nuit, il fait irruption :

— Regarde ça, tu vois ce que j'en fais de ça ? Tu vois ? Regarde. Regarde bien.

— Qu'est-ce que tu fais ?

Il allume.

— Non, non, je t'en prie, pas ça.

Elle s'assoit sur son lit. Elle tend les bras vers lui.

— Arrête. Je t'en prie.

Elle pleure.

— Non, non, non, je t'en prie, pas ça. Pas ça.

Elle sanglote.

— Si. Tiens, regarde.

Elle cache sa tête sous les draps, et entend le bruit du papier qu'on déchire.

— Voilà. Voilà ce que j'en fais de ça !

Il jette les morceaux par terre.

Elle se lève, les ramasse à ses pieds :

— Non c'est pas possible t'as pas fait ça.

Elle sanglote.

— Si, je l'ai fait !! Tu comprends maintenant ?

— Attention, les enfants, ne crie pas. Ne crie pas, je t'en prie.

— Ils dorment les enfants.

Il sort en claquant la porte, et se recouche dans le canapé du salon. Elle rassemble les morceaux déchirés de leur photo de mariage, en fait un petit tas qu'elle pose sur sa table de nuit, pleure sur son oreiller, jusqu'à ce que la lumière du jour pénètre sous les volets, et qu'elle puisse téléphoner pour demander le double à sa sœur.

Le proche du pouvoir

La table est dressée dans le petit salon qui donne sur les jardins du ministère, les invités lèvent la tête vers les plafonds peints, en faisant des commentaires sur les ors de la République, les uns après les autres, au rythme de leur arrivée, et en acceptant avec le sourire les coupes de champagne qui pétillent sur le plateau qui circule. Ils seront une dizaine, plus la ministre et ses conseillers. Quand tout le monde est là, chacun s'approche de la table, tire la chaise devant laquelle son nom est inscrit sur un petit carton. Il est assis à côté de la ministre, souriant, très souriant. Et, comme la table est rectangulaire, il se penche vers l'avant, ou vers l'arrière, en tournant la tête sur le côté droit puis sur le côté gauche, pour faire un clin d'œil, un signe, sourire à ceux dont le visage lui est masqué par l'enfilade. La conversation se cherche, s'élance, s'anime à propos de l'absence de statut de leur profession, tous se plaignent de n'avoir ni retraite ni mutuelle, passionné, concerné, il débat, y participe avec vigueur, il a chaud, il a défait le nœud de sa cravate, tombé la veste, qui s'amollit sur son dossier signifiant que les lieux ne l'impressionnent pas. Il relève les manches de sa chemise au-dessus de ses coudes, il débat ainsi plus à son aise, il les pose de chaque côté de ses couverts, le corps pris par la discussion, penche son buste au-dessus de son assiette pour mieux convaincre ceux qui sont en face de lui, dont il se sent trop éloigné vu la largeur de la table.

Le dormeur

Il avait décidé d'aller porter plainte au commissariat pour non-présentation d'enfants, puis il s'est mis à pleuvoir, il s'est dit qu'il en avait marre, il est resté chez lui, il a fermé les volets de sa chambre et il s'est glissé dans son lit tout habillé.

La femme dans le miroir

Elle se demande ce qu'elle penserait de son apparence si elle était un de ceux qui la rencontrent dans la rue, si elle tombait nez à nez avec elle-même, pour se mettre dans cette situation, elle regarde le miroir en silence, essayant de se défaire de l'idée qu'elle est elle, depuis toutes ces années qu'elle s'y reflète elle est peut-être simplement habituée à se voir, si elle se croisait elle-même dans le métro peut-être ne se remarquerait-elle pas, elle n'a peut-être aucune caractéristique particulière, c'est peut-être ça qui explique que les gens n'aient pas l'air plus étonnés quand ils la voient entrer dans la rame.

Le cinéaste méconnu

Les différents assistants de ses différents projets ne le débarrassent pas des aspects matériels de son travail, puisqu'il a autant d'assistants que de projets, et qu'il doit les appeler lui-même pour établir son emploi du temps et ses déplacements, il est assez connu pour avoir beaucoup de propositions, pas assez pour que toutes soient centralisées, et traitées par un seul assistant, qui répondrait aux mails qui ne cessent de lui arriver de chacun d'eux, ça lui prend un temps fou d'y répondre, il faut pourtant qu'il le fasse tous les jours, lui seul peut décider de tous les détails d'organisation, voyages, horaires, puisque lui seul a la vision de l'ensemble, il est envahi par toutes ces choses administratives qui lui bouffent ses matinées, ce qui explique qu'il soit en retard au rendez-vous, s'excuse-t-il, accablé, en arrivant, avec une belle voix comme semée de petits graviers.

L'homme qui a un pied-à-terre

Soixante mètres carrés sous les toits, des chambres de bonne accolées, sa femme a supervisé les travaux de leur deux-pièces refait à neuf, les murs sont peints en blanc, elle a choisi les stores en tissu qui pendent aux fenêtres, il y a un patchwork coloré fixé au mur, deux canapés lits dans le salon, une télévision, une table ronde recouverte d'une nappe qui va jusqu'au sol dans un coin de la grande pièce, c'est une pièce d'angle avec quatre fenêtres, deux au nord, deux à l'ouest, l'ascenseur va jusqu'au cinquième étage, ils sont au sixième, sa femme y vient pour les expositions au Grand Palais, il y a une petite salle de bain, avec des serviettes bleues sur un radiateur plat, la baignoire est face à une fenêtre dont le store est à demi baissé, l'homme peste contre sa femme qui n'a pas acheté de gants de toilette, mais des petites lavettes qu'on met dans le creux de la main pour se débarbouiller, c'est un sanguin, ses colères peuvent faire trembler les murs, dans la capitale régionale où il vit, souvent, il fait pleurer son assistante.

Il est né près du parc Monceau, il éprouve plusieurs fois par an le besoin de venir humer l'air de Paris, chez eux il y a des photos de lui enfant avec un blazer à écusson, des boucles blondes qui lui tombent sur les épaules, on le voit jouer au cerceau près des statues et des colonnades qui bordent le petit lac.

Le soir, il sort de ce pied-à-terre de la rue de Courcelles pour aller manger des huîtres chez Dessirier ou à la Brasserie Lorraine ; les bons fruits de mer sont ce qui lui manque le plus depuis qu'il vit dans l'Est. Ils ont deux enfants, et lui une fille de treize ans qu'il vient de reconnaître, il lui envoie un billet de train de temps en temps, pour qu'elle le rejoigne dans son pied-à-terre, ils passent le week-end tous les deux, ils dorment sur le matelas au sol pour deux personnes qui se trouve dans la chambre, puis, quand elle prend sa douche, au réveil ou après la sieste, il lui recommande de bien baisser le rideau de la salle de bain pour ne pas être vue des voisins. Ils prennent tous leurs repas au restaurant, mais, ce matin-là, il a décidé de faire des œufs sur le plat, il prend la petite poêle qui se trouve dans la mini-cuisine, la pose sur la plaque chauffante, attend que la plaque soit bien chaude, et il lui montre comment on fait pour faire de bons œufs au plat, il tourne le bouton au minimum et il les laisse comme ça, à feu doux.

Le couple en visite

Ils débouchent sur une grande place bordée d'arbres, ils sont venus voir des amis qui ont déménagé dans cette ville, ils marchent, la femme serrée dans son manteau, à côté du couple, l'homme un pas derrière eux, les mains croisées dans le dos il lève les yeux pour bien considérer les façades, s'attarde sur un détail, remarque la couleur jaune de la pierre, il lit tête levée une plaque commémorative, puis ils entrent dans une pâtisserie, il entre aussi, tout en restant à distance, pour observer le comportement de la commerçante, qui parle à quelqu'un d'autre tout en leur rendant la monnaie sans les regarder, puis ils sortent, un paquet de gâteaux se balance au bout d'une ficelle au bras de sa femme, et, tandis que leurs amis leur expliquent la mentalité des gens de cette ville, leur froideur, leur peu d'amabilité, leur façon de prononcer les A qu'ils imitent, eux, en hochant la tête, compatissent.

Le chauffeur-routier

Au volant de son camion, il fixe la route, l'horizon, et l'idée se loge dans sa tête qu'il a le sida. Il décide de faire le test, le test est négatif. Il pense qu'il y a une erreur. Il fait un deuxième test qui ne parvient pas non plus à dépister sa maladie. Depuis qu'il a oublié son rasoir ensanglanté sur le lavabo de la salle de bain, il sait qu'il a contaminé ses deux petits garçons. Il explique à sa femme que leurs enfants sont malades, qu'il l'est aussi, et se met en arrêt maladie, il n'arrive de toute façon plus à conduire, il ne supporte plus les longs trajets à fixer l'horizon avec ça en tête. Les seuls moments où il pense à autre chose, maintenant, c'est quand il joue à la PlayStation, il y joue toute la journée et une partie de la nuit, seuls les jeux vidéo le détendent. Quand sa femme l'interroge sur le sujet en espérant qu'elle va réussir à le faire parler d'autre chose que de cette maladie qui envahit toutes leurs conversations, il refuse de répondre, car ce serait obscène de parler d'un sujet aussi trivial dans la situation qui est la leur.

L'ancien pauvre

Il marche dans les rues de sa ville le regard au sol, sur ses pieds, ses chaussures, les pavés, pour ne pas croiser le regard des passants, qui convergent vers lui, depuis que son succès l'a rendu internationalement célèbre. Il porte un long pardessus sombre à manches raglan, il était encore facteur six mois plus tôt, le maire organise un dîner en son honneur avec les notables de la ville le soir même, au moment du café, il raconte qu'à New York il y avait une solderie qui vendait des pantalons de marque au tiers du prix, qu'il aurait dû en prendre plusieurs, mais qu'avec ses réflexes de pauvre, il n'en a pris qu'un. Celui qu'il a sur lui, dit-il en touchant sa cuisse, en tapotant la toile bleu marine, et en levant les yeux au ciel pour se moquer de lui-même.

L'épistolière

« Merci pour ta lettre et ta carte de Noël, mais quelle surprise, c'est fou ce que tu me dis. Comment c'est possible ? Comment va ta fille ? Elle doit être très mal. À quelques jours du mariage ? Et elle n'a rien vu venir ? Ce n'est pas possible, je ne comprends pas, on n'a pas un comportement comme ça du jour au lendemain. Le mariage était déjà organisé, la date fixée. Qui s'en était occupé ? Toi je suppose.

Je ne sais plus trop où vous en êtes et je ne sais pas comment tu as réagi, mais en tout cas c'est honteux. Il n'y a jamais de repos dans cette vie. Tous les jours c'est un combat.

En ce moment je ne vais pas bien moi non plus, je suis mariée à un homme avec qui je ne partage rien, on ne s'entend pas, on n'a rien en commun, mais je suis trop lâche pour renoncer à mon petit confort. Je me dis que je ne pourrais pas élever mes enfants toute seule. Alors je reste et les années passent. Je suis mal mais je ne bouge pas. On ne fait rien. On ne sort pas. La dernière fois qu'on est allés au théâtre il s'est endormi. Quand je dis blanc il dit noir, c'est comme ça pour tout, c'est systématique, pour les petites choses comme pour les grandes. On n'arrive plus ni à rire, ni à s'aimer, on n'a aucune vision commune sur rien. Comment tu fais toi pour qu'on te drague encore à ton âge ? Tu as deux hommes en même temps si j'ai bien compris. Moi, ça fait des années que je n'ai pas été embrassée, sauf quand on fait l'amour mais ça ne compte pas. C'est dur pour quelqu'un comme moi qui aime tant être calinée. Et puis, j'ai des soucis avec mon fils aîné. Je suis encore en train de me plaindre. À quoi bon ?

J'ai envie d'emmener mes fils à Disneyland, je pourrais y aller en camping-car, je conduirais, on prendrait une tente, on emmènerait le chien.

À part ça, je fais des gardes d'enfants. J'en ai trois en ce moment, que je garde deux heures après l'école. Ça me fait un peu d'argent. Ce n'est pas si facile à trouver, il y a de la concurrence, beaucoup de femmes ici cherchent des enfants à garder.

Bon. Qu'est-ce que je peux te raconter encore ? Je me suis enfin décidée à retourner chez Weight Watchers, j'ai dix kilos à perdre. Plus aucun pantalon ne me va. Plus rien ne me va. Je n'arrive plus à m'habiller. Je suis trop grosse. Quoi que je mette, je n'ai plus aucune allure. J'essaye de perdre du poids, mais je n'y arrive pas. Je vais réessayer, je vais y aller petit à petit, semaine par semaine, je ne vais pas me fixer un objectif à trop long terme. On va voir. J'espère que ça va marcher. Souhaite-le-moi.

À part ça tout est OK. Ha ha ha ! très drôle, rien n'est OK, au contraire, partout où je regarde ce ne sont que problèmes.

Pourquoi tu ne viendrais pas me voir ? Réfléchis. La vie n'est pas chère ici, et si tu viens je me rendrai disponible, on pourra faire des choses. Dis-moi ce que tu en penses.

Je t'embrasse,

Love »

C'est une des lettres sur la centaine qu'elle a écrites pendant vingt ans à sa meilleure amie restée de l'autre côté de l'Atlantique.

La mère

Pour la Fête des mères il offrira à la sienne les boucles d'oreille qui sont dans la devanture, il viendra la réveiller avec un plateau, il y aura un bol de café au lait, un verre de jus d'orange, des tartines qu'il aura beurrées, et ces boucles en émaux noir et blanc, qu'il observe. Il se hisse sur la pointe des pieds pour en voir le prix, l'étiquette est retournée, intimidé il entre dans la bijouterie, la vendeuse plonge la main dans la vitrine, les lui montre, lui dit un chiffre. Il sort de la boutique, il court en pleurant jusqu'à la gare routière, il prend le bus, il arrive chez lui, il se jette dans les bras de sa mère en sanglotant, et lui décrit les boucles d'oreille qu'il avait repérées et ne pourra pas lui offrir. Elle lui dit que son plus beau collier c'est les deux bras de son petit garçon, qui sont autour de son cou, elle en caresse la peau douce, elle penche la tête sur le côté, elle colle sa joue sur le petit poignet posé sur son épaule, il a la tête sur sa poitrine, les bras accrochés à son cou, elle caresse la petite tête aux cheveux frisés blottie contre elle, et les deux bras noués derrière sa nuque, en lui disant qu'un plus beau collier n'existe pas.

Le jeune acteur

Il y a une boîte de nuit aux Champs-Élysées qui représente le monde qui l'attire, il y a des artistes, des gens de cinéma, de théâtre, de la mode, du spectacle, des gens qui vivent la nuit. Il s'y sent bien, libre, affranchi de sa famille, il y retrouve des amis, il danse, on le regarde, il peut être extravagant, s'oublier lui-même en même temps, il pense à la musique, les yeux fermés, se fond à elle. Il a l'impression dans cette boîte d'échapper aussi bien à sa famille, une famille bourgeoise, classique, avec un père industriel, qu'aux carcans sexuels. Un beau garçon qui a des cheveux splendides, ondulés, bouclés, épais, et un regard perçant, a les yeux fixés sur lui. Il est grand, il a dans les trente ans, il danse, il parle aux gens, il lui parle aussi à lui, quelques mots, ils sortent de la piste, ils s'assoient sur le petit canapé qui se trouve à l'entrée, au carrefour entre la piste, la porte et la petite cuisine, où la patronne fait elle-même des pâtes quand les gens ont faim au milieu de la nuit, c'est sur ce canapé que s'assoient les gens célèbres qui fréquentent l'endroit, ils y restent quelques minutes, puis ils se lèvent, dansent de nouveau, se retrouvent au bar, ils boivent un verre, ils regardent autour d'eux, il y a des filles, il y a des garçons, un mélange de sexualité, tout le monde se drague, se parle, se regarde, il ne sent pas d'attirance particulière envers lui, mais il lui trouve du charme, du caractère, il a été étonné par sa façon de l'approcher, comme si c'était la chose la plus facile du monde, qu'approcher quelqu'un n'exigeait aucun savoir-faire, aucun code, n'impliquait ni trouble ni sensation exceptionnelle. Rien de particulier ne se passe entre eux, le temps passe, c'est tout.

Et puis tout d'un coup, le garçon dit :

— Tu as une voiture ?

Son père lui a offert une Twingo d'occasion.

— Oui.

— Est-ce que tu peux me raccompagner chez moi ?

Ils sortent de la boîte, montent dans sa voiture, le garçon lui dit sur un ton sans appel :

— Suis cette voiture.

En lui montrant une grosse voiture noire qui démarre. Un gros quatre-quatre luxueux. En pleine nuit, le jeune acteur se lance dans une course à travers les rues vides, il suit les indications que le garçon lui donne sur un ton ferme, il ne pose pas de question, il brûle les feux rouges qu'il lui dit de brûler, il prend les sens interdits qu'il lui dit de prendre :

— À droite, à gauche.

— Plus vite.

— Talonne là. Talonne.

— Ne la perds pas.

Il est quatre heures du matin, la grosse voiture noire traverse la Seine, puis s'arrête.

— Arrête-toi.

De l'intérieur de sa voiture, le garçon observe ce qui se passe dans l'autre, il scrute, l'air inquiet, puis :

— Est-ce que tu peux me raccompagner ?

Ils reprennent la route dans l'autre sens, son passager arrive à l'adresse qu'il lui a indiquée, il se gare devant, ils se disent au revoir, bonne nuit, le garçon aux cheveux épais lui dit sur le trottoir avant de refermer la portière :

— Qu'est-ce que tu fais demain à l'heure du déjeuner ?

— Rien de spécial.

— Viens demain à treize heures.

Ils sont trois autour de la table, le garçon vit avec un autre, il a écrit un scénario pour la télé, ils discutent, le réalisateur n'a pas encore trouvé le premier rôle, il lui propose de le rencontrer en lui disant qu'il est le personnage, qu'il n'aura rien d'autre à faire qu'à être lui-même, qu'à se laisser porter, comme un bouchon de liège, au fil de l'eau, qui se laisse aller, qui se laisse aimer, le jeune acteur rencontre le réalisateur le lendemain, il est choisi pour le rôle. Trois jours plus tard il s'installe dans l'appartement, et il essaye de s'accommoder de la présence du troisième en espérant que la situation va évoluer.

Le rottweiler

Son maître, qui vend des légumes à la sauvette près du marché, se lève si tôt, et se couche si tard, que la nuit n'existe pas pour lui, il dort l'après-midi, malgré la lumière, le bruit, les va-et-vient dans la maison. Le rottweiler se couche à l'entrée de sa chambre. Il ne se lève que pour le laisser passer une fois qu'il est réveillé. Pendant qu'il dort, personne n'entre dans la pièce. Lui seul se le permet. Il avance jusqu'au lit du dormeur, il approche sa tête de son visage, il met sa gueule tout près de sa bouche pour être sûr qu'il respire, et revient à intervalles réguliers vérifier que de l'air en sort.

Le grand dépressif

Il se tient les épaules déséquilibrées, l'une plus basse que l'autre comme si elle portait le poids de la deuxième, les paupières tombantes, il fixe la femme assise en face de lui à la terrasse du café, et lui dit : « Je suis un garçon malheureux », puis s'épanche, sa vie amoureuse est un échec semé de ruptures, le bonheur n'est pas pour lui, il la regarde d'un œil froid, et, afin qu'elle ne se méprenne pas, précise que c'est toujours lui qui rompt, avec le rictus amer de celui qui s'y voit contraint. Être lui, devoir vivre sa vie, est sa croix ;

il rompt par générosité pour ne pas la faire porter aux autres. Un à un, il énumère les reproches qu'il se fait, la mine dégoûtée, décryptant après coup ses faits et gestes comme ceux d'un somnambule, obligé au réveil de reconnaître que c'était lui qui agissait. Il présente le fait d'avoir été en analyse comme la preuve de sa bonne volonté, au bout de dix ans il avait même arrêté la cure constatant les résultats, il en parle comme un gros fumeur de l'efficacité d'un patch qu'il se serait apposé, les yeux écarquillés, exorbités, premier étonné de l'issue positive, forcé d'admettre, tel un rat à sa sortie du laboratoire, qu'il allait mieux, il était retombé amoureux, il était heureux, estomaqué de l'être, ça avait marché, il le reconnaissait, il ouvrait les yeux sur son horizon enfin débouché, sa respiration était devenue légère, il était heureux de se réveiller le matin, la nuque débloquée, il comprenait qu'on puisse avoir du plaisir à vivre, il aimait la vie à deux, il aimait faire le marché, il en parle encore avec un sourire émerveillé, pendant que sa compagne choisissait, ça ne l'ennuyait pas de porter le panier, il ne buvait plus que les soirs de fête, ravi de ne pas s'être suicidé dans ses moments les plus désespérés.

Mais, au bout de quelques mois, ça recommence. De nouveau il s'ennuie, alors qu'il pensait vieillir avec elle, il devient odieux comme il l'avait été avec la précédente, alors qu'il a encore du désir pour elle, avoue-t-il en levant les yeux vers la femme sur la chaise. Leur corps à corps, lui dit-il, est magnétique, mais il éprouve à son égard, même s'il se sait injuste, un mépris social contre lequel il ne peut rien. Les mots qu'elle emploie, les réflexes qu'elle a, lui déplaisent, elle dit par exemple « sur » Paris au lieu de « à », ou qu'elle a « posé » ses congés, il fait le récit des insultes qu'il s'est mis à lui adresser, des tortures morales qu'il lui inflige, de l'ennui des tête-à-tête, de ses pleurs à elle, de son regard de bête traquée, il va de nouveau rompre, il le lui a annoncé, se priver du magnétisme inouï de leur sexualité. Il est inquiet pour son avenir. Et de nouveau, comme avant de la rencontrer, il se tord de douleur sur le parquet de son appartement, terriblement angoissé.

L'anorexique-boulimique

Tartes aux fruits, gâteaux, pain, tourte à la viande, brioches au sucre, fromages, sa tante se demande comment elle fait pour ne pas grossir, elle alterne avec des périodes où elle ne mange rien, une pomme dans la journée, deux œufs durs, elle compte les calories sur les paquets au supermarché, chez elle elle contemple sa maigreur dans la glace, fière des aplats que dessine sa silhouette, des petits renflements discrets, elle regarde ses fesses creusées, comme le ferait un regard étranger, de biais. Il y a un papier peint nacré à rayures mauves dans la salle de bain, dans la chambre c'est un papier japonais bleu, les rideaux sont épais, bleus à ramages vert et beige, dans une petite chambre ils ont mis leurs deux bureaux face à face, dans le couloir, pour ranger les vêtements et les chaussures, ils ont fait mettre des portes coulissantes, que sa belle-mère leur a offertes, ses beaux-parents sont les propriétaires de l'appartement, ses parents habitent en face, ils y vont souvent, ils s'y font dorloter, sur la table il y a des petites assiettes, des compotes, des purées, des gâteaux, des gâteaux secs, du fromage, des restes de légumes, des restes de pâtes. Les fins de repas s'éternisent, derrière une fin il y en a une autre, le chocolat avec le café, les nouvelles tablettes.

Les habitués

Un couple d'habitués regarde, interloqué, des Russes qui mangent un sandwich avec leurs doigts au bar du Bristol. Ils se regardent une longue minute entre eux, puis ils font aller et venir leurs yeux du Russe à leur table, en balayant tout le trajet, yeux écarquillés, de la scène qui se déroule à la table des Russes, et leur fait ouvrir les yeux aussi grands que possible, à la leur. Les deux cous restent fixes sur tout le parcours, comme si la stupéfaction avait raidi les corps jusqu'au menton, tout le reste étant statufié, et que seule la tête pouvait encore pivoter.

Après le balayage de la salle entre les deux tables, leurs pupilles se retrouvent de nouveau face à face. De nouveau ils s'interrogent du regard, par sa fixité et son intensité, sans lever un sourcil, ni un œil vers le ciel, le cou toujours fixe, paupières ouvertes au maximum. Puis, les deux têtes refont le trajet en sens inverse. Ils regardent de nouveau le Russe qui mord dans son sandwich, puis, se re-regardent entre eux, jusqu'à ce que l'un des deux, l'homme ou la femme, finisse par lâcher :

— Mais qu'est-ce qu'il fait celui-là ? C'est Poutine qui lui a appris ?

Le demi-frère

Il a vingt ans. Il vient d'apprendre qu'il a une demisœur, c'est l'été, et comme il est en vacances dans sa région, il lui téléphone pour lui dire qu'il aimerait passer la voir, ils conviennent d'un jour et d'une heure précise. À l'heure convenue, il sonne. Pas de réponse. Il attend. Il resonne. Toujours rien. Il insiste. Ça ne répond pas. Il sonne il sonne il sonne. Il est en bas. Il sonne. Il sonne il sonne il sonne il sonne. Driiiiiiiiiiiiing. Elle n'ouvre pas. Il attend. Il resonne. Driiiiiiiiiiiiiiiiiiiiiing. Il laisse le doigt appuyé sur la sonnette, longtemps. Il appuie dessus de tout son poids, puis, relâche la pression, et il remet aussitôt son doigt sur le bouton de la sonnette. Le doigt réappuie de toutes ses forces, puis lâche, et réappuie. De nouveau le doigt pèse pour un long coup continu. Continuuuuuuuu. Il sonne, sonne, sonne, sonne, sonne, sonne, sonne. Et plus il sonne… moins elle peut ouvrir.

Le bâtard

C'est un petit bâtard blanc avec une tache noire sur l'oreille. Il connaît « assis », « couché », rien d'autre. Il a été retrouvé sur l'autoroute, sans doute balancé par une portière de voiture, au début il est arrivé chez eux la queue entre les jambes et les oreilles plaquées, quand il entre le matin dans sa chambre elle bat un cil pour montrer qu'elle est réveillée, elle prend son petit déjeuner, la leçon commence, « attends », « sucre », « patte », « on y va », « laisse », le prénom de ses enfants, « cartable », « voiture », « on part », « bain », elle lui apprend un mot par jour, elle dit « bain », il court vers la baignoire, elle note chaque mot dans un carnet, le glossaire augmente. Un jour, la boîte est pleine, il n'enregistre plus, c'est fini, elle se plie à l'évidence. Il en connaît soixante, à peine, cinquante-neuf, mais avec soixante mots il fait tout ce qu'elle veut.

Le linguiste

Il tombe dans *Le Monde* sur un article qui dit à propos d'un homme politique qu'il « persiste et signe ». Il replie le journal énervé, et explique à la femme assise devant lui dans une brasserie de la Bastille que c'est aussi stupide d'écrire « persiste et signe » que « persiste et persiste ». C'est comme si le même mot était écrit deux fois, seule la bêtise et la paresse permettent à une telle banalité d'être utilisée dans un journal de qualité, dit-il sur un ton contrarié, il se moque du journaliste comme d'un élève de sixième tombé dans un piège grossier qui croyant faire preuve d'originalité n'a réussi qu'à prouver son caractère moutonnier, il prend une tranche de pain de seigle, commence à la beurrer, s'il était journaliste, continue-t-il, pour marquer la détermination d'un homme politique, lui, il écrirait « persiste », et il mettrait un point. Il fait le geste rageur de celui qui pose sur une page un point définitif. Comme s'il avait donné un coup d'épée. Non seulement sa phrase serait plus juste mais on la remarquerait, ajoute-t-il, de la résistance au cliché émanerait le sens, suivie d'un point la radicalité du mot « persiste » apparaîtrait. Puisqu'il ne serait pas tombé dans le suivisme de ces journalistes parisiens censés représenter l'élite, en réalité ils ne voient pas plus loin… que l'ombre portée par la tour Eiffel, l'expression qui lui vient le fait sourire lui-même. Il pose la tranche de pain de seigle sur la soucoupe à côté de son assiette, saisit une huître sur le plateau surélevé, la porte à sa bouche, après y avoir mis une petite cuillère de vinaigrette à l'échalote, et l'aspire en fermant les yeux pour mieux l'apprécier pendant qu'elle séjourne entre sa langue et son palais.

La petite foule

En file désordonnée, devant les comptoirs où les hôtesses viennent de s'asseoir pour faire embarquer les passagers, la petite foule piétine depuis déjà trois quarts d'heure, un père assoit sa plus jeune fille sur ses épaules pendant que la grande s'accroche à sa ceinture avec un rire forcé, et qu'il tente de s'en dégager sans la bousculer, la mère parle avec quelqu'un, son frère, son beau-frère, ou un copain, devant la vitre qui donne sur la piste des enfants regardent des avions décoller ou lisent sur les appareils à l'arrêt le nom des compagnies aériennes, ou bien, assis par terre, dos à la vitre, lisent des journaux illustrés, c'est la fin des vacances, les gens sont calmes, il y a des couples, des enfants de tous âges, des adolescents, des jouets dans des sacs, des écouteurs dans des oreilles, des portables dans les mains des uns et des autres, des personnes âgées, une femme dans un fauteuil roulant, accompagnée de son mari, discute avec une plus jeune, qui espère pouvoir changer de place, il n'y avait plus de siège-couloir quand elle est arrivée à l'enregistrement, et qui répète, comme plusieurs autres disséminés dans les rangées de sièges métalliques, face à la grande vitre, que l'avion est complet, au téléphone une jeune fille à la peau brune et aux cheveux noirs annonce à la personne au bout du fil que son vol aura sûrement un quart d'heure ou vingt minutes de retard, elle soupire, puis à quelque chose que la personne vient de lui dire répond d'un ton sec « bien sûr ! », et précipite la fin de la conversation, lui dit qu'elle ne veut pas parler de ça au téléphone et qu'à son arrivée elle le rappelle, puis, elle raccroche, et serre les pieds de chaque côté de sa petite valise rigide, sur les sièges métalliques les activités varient, téléphone, tablette, journaux, livres, yeux dans le vide vers la vitre, ils attendent assis qu'on appelle leur numéro de rangée, puisque le début de l'embarquement n'est pas encore commencé, et pas même annoncé, ils regardent ceux qui, en ligne désordonnée entre eux et la grande vitre, font déjà la queue en direction des comptoirs, avec le regard supérieur de ceux qui ont l'habitude de voyager et savent que ça ne sert à rien de se masser devant les hôtesses avant que son numéro de rangée soit appelé, ou alors ils ne lèvent même pas les yeux de leur livre, journal, tablette, ou autre occupation, comme si cette catégorie ne valait pas la peine d'être considérée, tous les sièges métalliques sont pris, ceux qui ne sont pas assis n'ont de toute façon pas autre chose à faire que de se mettre en ligne, à moins de s'adosser à la vitre derrière laquelle les avions stationnent ou décollent, et de regarder en face de soi l'enfilade des salles, des sièges, des tapis roulants, des écrans qui indiquent les portes et les numéros de vol, des bars, des cafétérias, avec les points colorés des zones d'achat parsemées sur le trajet qui va de l'enregistrement aux différentes salles, tout ça se succédant dans le même ordre, une série succédant à une autre sans intervalle, chaque fois terminée, ou commencée, par la zone d'achat, avant l'arrivée de la série suivante, la petite foule occupe la dernière salle, tout au fond, à la fin de l'enfilade, tout au bout des kilomètres de tapis roulants qu'ils ont parcourus depuis les contrôles de bagages et d'identité, après leur salle c'est la piste, avec la baie vitrée qui donne sur les avions, la femme qui veut un siège couloir demande à celle qui est dans le fauteuil roulant si à son avis elle devrait aller voir tout de suite les hôtesses, qui, assises derrière le comptoir, n'ont pas encore annoncé l'embarquement, ou s'il vaut mieux qu'elle attende d'être dans la cabine pour faire l'échange, en accord avec le personnel de bord, la petite fille qui était sur les épaules de son père est maintenant assise par terre, sa mère accroupie devant elle lui donne à manger, sa grande sœur enroule ses bras autour de la jambe de son père, qui marche quand même de long en large en téléphonant, et elle ne cesse de rire, faisant celle qui ne se laissera pas vaincre par son indifférence, qui peut même trouver drôle de ne rien recevoir en compensation de son attachement, que ça ne gêne pas de traîner par terre, après avoir raccroché son père lui dit d'arrêter, elle va vers celui qui doit être son oncle, tend les bras vers lui, il la prend, l'hôtesse annonce qu'on va commencer l'embarquement, que les personnes à mobilité réduite et celles accompagnées d'enfants sont invitées à se diriger vers les comptoirs d'embarquement, la femme en fauteuil roulant, suivie par son mari qui la pousse, parle toujours avec celle qui veut changer de siège et qui s'est décidée, encouragée par leur passage prioritaire, à tenter le coup avec l'hôtesse au sol, estimant que ce serait mieux que l'affaire soit réglée avant de monter dans la cabine, ceux qui lisent assis sur les sièges métalliques n'ont toujours pas bougé, celle qui téléphonait à son petit copain serre toujours sa valise rigide entre ses deux pieds, ceux qui ont des enfants sonnent le rassemblement et le rangement des jouets éparpillés, accrochant aux épaules des plus petits les mini-sacs à dos avec les affaires dont ils ont la responsabilité, et rejoignent face aux comptoirs les prioritaires dont la mobilité est réduite, une des hôtesses discute âprement au téléphone avec quelqu'un, qu'on suppose être à bord, sa collègue la regarde, la moitié de ceux qui étaient assis se sont levés des sièges et rejoignent la file, tablette ou journal rangé dans les sacs, file qui non seulement s'allonge, mais s'ordonne, s'amincit, s'organise, plus personne n'est assis par terre dos à l'immense vitre, même les enfants ne regardent plus les avions qui décollent, tout le monde a le cou tendu vers le début du couloir en pente qu'on aperçoit derrière les comptoirs, l'hôtesse raccroche son téléphone, dit quelque chose à sa collègue, aucune des deux ne jette le moindre regard en direction des gens agglutinés, qui voudraient comprendre l'espagnol, savoir lire sur leurs lèvres, un peu inquiets à cause du retard qui s'accumule, les personnes prioritaires appelées depuis maintenant plus d'une demi-heure n'ont pas encore passé leur carte dans la machine, personne n'est encore entré dans le couloir en pente qui descend vers l'avion, rien n'a encore bougé, la femme en fauteuil, aussi proche que possible du comptoir, discute toujours avec celle qui veut un autre siège, elles ont changé de conversation, car la plus jeune, qui parle espagnol, a saisi des mots qui l'inquiètent, « incident technique », l'information se diffuse bientôt dans la file et dans les sièges métalliques, où les gens commencent à parler avec leurs voisins, que le vol risque d'être retardé, de beaucoup, certains se lèvent de leur fauteuil, s'avancent vers le point stratégique, la zone autour des comptoirs, entre le début du couloir en pente et la salle d'embarquement, dont la frontière est matérialisée par la porte vitrée coulissante que les hôtesses ont ouverte en arrivant, ils font des allers et retours entre cette zone, où ils prennent des informations supplémentaires, et ceux qui restent assis à côté des valises, qui ne lisent plus, ils ne peuvent plus, ils parlent entre eux, attendent d'en savoir plus, se lèvent de temps en temps pour voir de plus près ce qui se passe à l'intérieur du noyau de la petite foule dont le centre de gravité s'est déplacé vers cette zone, comprise très précisément entre la porte coulissante ouverte par les hôtesses et l'orée du couloir d'embarquement auquel personne n'accède pour l'instant, cette zone est devenue l'épicentre, la file n'existe plus, l'information se précise, à intervalles réguliers de trente-cinq minutes les hôtesses lâchent des éléments nouveaux, l'incident technique serait dû à un problème de radio, certains doutent, « ça c'est ce qu'ils disent », une autre information commence à circuler, les propos d'une femme, qui a pris exactement le même vol avec la même compagnie il y a un an car elle vient chaque année, commencent en effet à se propager, d'abord dans la zone stratégique, puis dans celle des sièges métalliques par les allers et retours de ceux qui vont de l'une à l'autre, elle a dit, des doigts la désignent, c'est une femme blonde aux cheveux longs qui pousse un chariot, qu'elle est encore en procédure avec eux, qu'il y a un an ça avait commencé exactement pareil, qu'à la toute fin de la journée l'avion n'avait toujours pas décollé, et ils n'en avaient pas affrété un autre, alors qu'en deux heures c'est possible si la compagnie le décide commence-t-on à entendre aussi, il faut donc faire pression pour qu'ils en affrètent un nouveau, parce que, sinon, a dit la femme blonde aux cheveux longs, ils vont balader la petite foule à leur gré pendant des heures, de trente-cinq minutes en trente-cinq minutes suivant le protocole qu'ils sont tenus de suivre par contrat, lâchant au compte-gouttes les informations pour les faire patienter et espérer, et finir par annoncer qu'il va falloir attendre le lendemain, voire le surlendemain, pour être recasés dans un autre vol, qui ne sera peut-être même pas au départ de la même ville, a dit la femme blonde, mais peut-être comme l'année d'avant au départ d'une autre, dont, avec les escales, il avait fallu dix heures en tout l'année dernière pour rejoindre Paris, la petite foule est préoccupée. Ceux qui parlent espagnol traduisent aux hôtesses des questions, transmettent les réponses à ceux qui les posent, au sein du petit groupe qui s'est formé dans l'épicentre, autour des comptoirs où les deux hôtesses ne sourient plus du tout, sous le feu roulant des questions traduites et des paroles en français parmi lesquelles « grosse vache va ! » adressé à la plus en chair par un homme de trente ans qui semble être le petit copain d'une fille brune au volant de son chariot, et qui n'a pas peur de le dire fort puisqu'elles ne comprennent pas le français, se justifie-t-il quand une autre femme, la main sur la poignée de sa valise, conseille de rester groupé mais d'éviter les insultes, l'hôtesse raccroche le téléphone une nouvelle fois, dit quelque chose à sa collègue en espagnol, puis elles annoncent que la zone des comptoirs, jusqu'à nouvel ordre, va être fermée, que la petite foule doit reculer derrière la frontière de la porte vitrée coulissante, qui sépare de l'accès au couloir en pente la salle d'embarquement où ils doivent tous retourner, et elles ajoutent que les passagers seront informés, par une annonce au micro, quand l'appareil sera prêt à décoller. Mais, à l'intérieur du petit groupe massé autour d'elles, un petit noyau, composé de quelques fortes têtes, ne l'entend pas de cette oreille, une bonne vingtaine de personnes convaincues et agrégées entre elles décident de ne pas bouger de l'épicentre, de ne pas reculer pour que les hôtesses ne puissent pas refermer la porte coulissante, du moins pas tant que les passagers n'auront pas été informés précisément de la suite, ils demandent, par exemple, d'être rassurés sur le fait que si l'incident technique ne peut pas être réparé un nouvel avion sera affrété dans la soirée de façon à ce que tout le monde puisse être à Paris le soir même, certains croient utile de préciser qu'ils travaillent le lendemain, un autre dit qu'il est journaliste et qu'il peut écrire un article dans un journal à fort tirage qui ruinera la réputation de la compagnie, un jeune homme sort même son téléphone pour filmer la scène, la femme qui voulait changer de siège sert toujours de traductrice à la vingtaine de passagers qui ont des questions à poser ou des revendications à rendre claires, une jeune femme brune avec un chapeau à larges bords sur la tête style Borsalino pose les deux mains sur le volant de son chariot en le soulevant légèrement du sol pour le faire retomber aussitôt en en faisant taper les roulettes au sol comme on tape du pied, pour s'affirmer, et elle dit, joignant le geste à la parole : « Moi je bouge pas de là ! » Un des types des fauteuils métalliques, un de ceux qui lisaient, avant de commencer à faire des allers et retours avec l'épicentre, d'abord pour aller voir ce qui se passe, puis pour raconter l'évolution à sa femme restée assise, dit à celle-ci en revenant de la zone : « Tu sais, il faut s'attendre à dormir là, ils sont en train de nous balader. » Puis il retourne vers le noyau, qui devient de plus en plus compact, et houleux, les hôtesses répétant aux gens qu'ils doivent sortir de la zone stratégique, reculer pour qu'elles puissent refermer la porte coulissante, le noyau proteste, résiste, le type, celui qui lisait puis qui a fait des allers et retours et qui est revenu, un homme noir avec un tee-shirt blanc, dit à un de ceux qui depuis le début forment le noyau : « Je suis solidaire », et quitte définitivement son fauteuil métallique pour venir résister avec les autres, en disant « je suis avec vous, j'irai jusqu'au bout, j'espère que vous aussi », ils sont tous d'accord, sa femme le rejoint, les hôtesses redisent qu'il faut reculer derrière la frontière de la porte coulissante pour qu'elles puissent la refermer, valise, chariot, corps, ils s'interposent, déterminés, disent qu'ils ne bougeront pas de cette zone tant qu'on ne leur aura pas assuré que l'incident va être réparé ou qu'un autre avion va être affrété, qu'ils veulent rester groupés, car dès que la porte coulissante sera fermée tous vont se répartir dans l'aéroport, les zones d'achat, la cafétéria, et il ne sera plus possible de faire pression sur la compagnie pour qu'un vol soit affrété le soir même, la femme du Noir au tee-shirt blanc dit à une autre, plus âgée qu'elle, une Allemande à la peau ridée, que de nos jours les gens sont traités comme du bétail et trouvent ça normal, et que, sous prétexte qu'ils ont choisi un vol low cost, la plupart s'écrasent, les deux hôtesses, finalement, s'en vont, les laissant occuper la zone sans fermer les portes coulissantes, celui qui avait traité la plus en chair de grosse vache, sa copine et quelques autres applaudissent leur départ, le Noir leur dit qu'elles vont revenir avec les flics et qu'il ne faudra pas se démonter, « les flics ? » dit quelqu'un, personne n'a l'air d'y croire. Ils disent « ben qu'ils viennent nous on bouge pas de là, même s'il faut y passer la nuit ». La jeune brune au Borsalino fait de nouveau claquer les roulettes de son chariot sur le sol, et rit. Mais quand quatre policiers espagnols arrivent, la moitié de la zone se désemplit. Il reste dix douze personnes, les policiers leur demandent leurs papiers, celui qui avait traité l'hôtesse de grosse vache passe alors de l'autre côté, il reste sept personnes, et quelques-unes en plus à la lisière, les flics commencent à pousser ceux qui résistent, de leurs mains, vers l'extérieur de la zone, la plupart de ceux qui étaient restés assis sur les sièges métalliques se sont levés ou approchés pour regarder, le jeune homme a ressorti son téléphone, il s'avance, lève les bras au-dessus des têtes et commence à filmer, un des flics lâche la personne qu'il était en train de pousser, pour faire baisser les bras en l'air qui filment avec le téléphone, il dit en anglais « *no camera* », le jeune homme continue, un autre l'encourage « filme, filme, continue », le flic retourne vers la zone, et lui montre une pancarte « *no camera* » avec un appareil photo barré de rouge, l'Allemande à la peau ridée dit à la femme du Noir, qui fait partie des sept hommes restant encore à l'intérieur de la zone, qu'elle n'a jamais vu les gens se faire si mal traiter par des policiers et que pourtant elle est allemande, la femme du Noir répond « ah bon ? », un homme mûr et corpulent, juste à côté, dit « c'est qu'elle ne doit pas être très âgée », l'Allemande se rapproche alors de la frontière de la porte coulissante, comme pour y faire son entrée, bouclettes blondes sur son front plissé, un flic lui dit de reculer, il lui met la main sur l'épaule, « ne me touchez pas » dit-elle, il retire sa main, mais lui crie en pleine face de reculer, elle monte sa voix de plusieurs degrés, et à la cantonade dit qu'il a mauvaise haleine, en mettant sa main devant sa bouche, en mimant le dégoût, et en se bouchant le nez, les flics maintiennent un des hommes restés dans l'épicentre, ils lui demandent ses papiers, le Noir lui dit « tu t'en fous qu'est-ce que tu veux qu'ils te fassent ? », mais l'homme sort de la zone. Il n'y en a plus que six, pour quatre policiers, qui peu à peu réussissent à désunir le noyau, cinq passent de l'autre côté, vers la salle. Adossé au comptoir, les deux bras maintenus par deux policiers, les deux jambes par deux autres, dans l'épicentre il n'y a plus que le Noir, sa femme hurle « lâchez-le » d'une voix stridente qui perce le bruit informe. « Lâchez-le », « lâchez-le », elle entre à son tour dans la zone stratégique, elle en est repoussée par un policier, qui lâche un instant son mari, maintenu par les trois autres, bras écartés, une fois qu'elle est maîtrisée, il pivote pour y retourner, elle donne un coup de pied dans ses fesses, il repivote pour la calmer, la maintenir, elle hurle qu'il faut lâcher son mari, que les policiers continuent d'agripper, l'homme noir refuse de montrer ses papiers, ils le tiennent, acculé au comptoir, bras écartés, la femme hurle, sa voix troue l'ambiance sonore, un de ceux qui sont encore assis sur les sièges métalliques se lève, vient vers elle, dit qu'il est médecin, lui propose un verre d'eau, elle accepte, il dit qu'il a du Lexomil dans sa valise, elle refuse, quelqu'un dit qu'elle va s'évanouir, quelqu'un d'autre « qu'est-ce qu'elle a ? » une femme répond « c'est normal c'est son mari ». Finalement, les quatre flics repoussent le Noir hors de la zone, et referment enfin la porte coulissante. L'épicentre est vide derrière la porte transparente. Le Noir retire son tee-shirt, la peau de son dos est parsemée de petits grains de beauté plus foncés, il marche torse nu devant la zone fermée, avec son tee-shirt à la main dont il s'essuie le visage.

Une hôtesse vient annoncer qu'en présentant leur carte d'embarquement les passagers ont droit à un rafraîchissement à la cafétéria, et que toute nouvelle information leur sera communiquée par les haut-parleurs. La salle d'embarquement se vide dans la direction des zones d'achat et des cafétérias, certains décident de chercher le stand de la compagnie aérienne pour savoir ce qui va se passer, s'ils vont devoir dormir là, par terre, quelque part, il est déjà sept heures, on voit le coucher de soleil, des nappes roses-jaunes-mauves, au loin, par la vitre qui donne sur la piste, la petite foule se disperse, chacun avec son sac ou sa valise à roulettes sur les tapis roulants. Finalement, un avion est affrété. Cette fois, la petite foule va pouvoir embarquer. Certains, qui en se dispersant sont allés trop loin, se mettent à courir sur les tapis roulants, arrivent essoufflés, rouges, à la toute fin de l'embarquement, les deux hôtesses passent les cartes dans les machines après vérification des papiers, les uns après les autres, les passagers peuvent enfin prendre la direction du couloir en pente qui conduit à l'appareil, les quatre policiers, revenus pour l'embarquement, demandent à une des hôtesses de noter les noms de ceux qui faisaient partie du noyau final, les derniers irréductibles qu'il a fallu repousser manu militari, et certains s'inquiètent de voir qu'avant de leur rendre leurs papiers elle note leur identité, l'homme noir donne sa carte d'embarquement et ses papiers, mais un des policiers prend son passeport des mains de l'hôtesse, avant qu'elle le lui rende, et il dit au Noir de se mettre sur le côté. Il le garde dans sa main fermée, le Noir le lui arrache, et comme sa femme est déjà dans le couloir en pente avec sa valise à roulettes, le tend au passager derrière lui, lui dit de le donner à sa femme, puisqu'il va prendre sa suite dans le couloir en pente. « Je ne fais pas ça », dit le passager. Ils sont tous maintenant dans l'avion. Sauf le Noir. Sa femme discute à l'entrée avec un steward pour qu'il aille chercher son mari, elle explique la situation, le steward part mais revient seul, le flic refuse de le lâcher. Le temps passe, une passagère blonde aux cheveux longs dit qu'on ne va pas l'attendre, qu'il faut maintenant que l'avion décolle. Le steward demande à sa femme si elle veut descendre de l'avion, elle reste. Son mari n'est toujours pas dans la cabine, et puis il finit par arriver, son siège n'est plus libre, c'était un siège couloir, la femme qui parle espagnol et qui depuis le début voulait changer de siège est installée à sa place, on propose à l'homme la dernière qui reste, un centre, à côté du seul autre passager noir de l'avion, qui transpire, dont l'odeur l'incommode, et qui regarde, collé au hublot, une passée d'oiseaux qui traverse le ciel. L'avion décolle, prend de la hauteur, puis file entre les nuages.

À l'arrivée, tout le monde est détendu. Les bagages arrivent sur le tapis, une passagère qui vient de prendre sa valise dit à la femme de l'homme noir qu'elle ne comprend pas pourquoi c'est lui qu'on a retenu, il n'avait rien fait de plus que les autres. Une autre fait la même remarque, une troisième dit encore « pourquoi lui ? », alors, enfin détendue, enfin souriante, heureuse de rentrer enfin, sa femme répond, après hésitation « je ne sais pas… peut-être un peu de racisme… », fort étonnée de cette réponse, se rengorgeant : « Non je ne pense pas on n'en est plus là aujourd'hui ! », se récrie celle qui a posé la question.

L'oiseau

Wi wi wi, wi wi WI, wi. Comme du cristal. Un autre : Trrr, trrr, trrr. C'est constant, c'est cristallin. C'est le fond. Un troisième : Twii, twiie, en montant sur la dernière. Encore un autre : Whou, whou ; whou, whou. Un cinquième : Houhoui. Le précédent reprend : Whou whou ; whou whou ; whou whou. Régulier, mais désordonné, car fulgurant, impromptu, et toujours cristallin. De l'eau pure. Le cinquième reprend, plus bas : houi, houi. Le pépiement est multiple, il part dans tous les sens, il y a plusieurs oiseaux. Cui cui. Puis, comme un creux, ou comme un trou, encore un autre : Tri.

Comme un marteau-piqueur qui vient de percer le ciel. Une seule fois. Les autres qui continuent : Wi wi wi, wi wi WI. Wi. Trrr, trrr, trrr. Twii, twiie. Whou, whou ; whou whou. Houhoui. Whou whou ; whou whou ; whou whou. Hhoui. Cui cui. Ils se mélangent, ou alternent. Tri, le trou, le creux, les autres qui continuent, au bout de plusieurs secondes : tri, le creux, de nouveau. Et le fond, toujours : Wi wi wi, wi wi WI. wi. Trrr, trrr, trrr. Twii, twiie. Whou, whou ; whou, whou. Houhoui. Whou whou ; whou whou ; whou whou. Hhoui. Cui cui. Tri. Et : da da, da da, ou plutôt : tda tda, tda tda. Une seule fois. Et puis un autre, deux fois : rreu, rreu. Schrww, schrww, ou : top top.

Mais votre préféré, vous l'entendez le matin :

Flouou, flou-ouhou, flou, flouhou. Il arrête. Un autre : hou-ou ; ouhou : ahhouhou. Il recommence : Flouou, flou-ouhou, flou, flouhou. Un dernier arrive, clôt l'ensemble, ramasse le tout : twii twi hi-ut ; twihi, twihi-uit.

Votre préféré reprend, c'est toujours lui qui inaugure la série : Flouou, flou-ouhou, flou, flouhou. Le suivant : Hou-ou ; ouhou : ahhouhou. Lui, de nouveau, et à la fin de la série, un autre, un siffleur, un peu comme un trille, un sifflement de trille : Fluit. Un seul. Il en fait un seul à la fois. Fluit. De nouveau : Flouou, flou-ouhou, flou, flouhou. Et puis c'est le tour de hou-ou ; ouhou : ahhouhou. Et de : wii twi hi-ut ; twihi, twihi-ut. Cristallin à un point extrême. L'eau pure. Qui revient. Comme si les arbres qui vous entourent étaient du cristal à travers lequel passe une lumière pure. Et les autres qui continuent, plus loin, et plus tard dans la journée. Wi wi wi, wi wi WI, wi. Trrr, trrr, trrr. Twii, twiie. Wou wou ; wou wou. Hou-houi. Hhoui. Cui cui.

Et lui, le lendemain, au premier plan, qui revient, au moment où vous ouvrez la fenêtre vous l'entendez : Flouou, flou-ouhou, flou, flouhou. À la fin de la série, le siffleur, son sifflement de trille, fluit.

Vous vous y mettez, vous les imitez, vous reprenez leur chant. Flou hou, flou-hou. Vous faites une pause. Hou-ou, hou-ou. Vous faites encore une petite pause. Pour bien entendre. Vous attendez le siffleur. Vous voulez l'imiter le mieux possible. Vous écoutez. Vous faites le trille. Fluit. Fluit Fluit. Vous vous exercez. Fluit. Puis : Flouou, flou-ouhou, flou, flouhou. Wou wou ; wou wou ; wou wou. Hohu-hi, hohu-hui. Ttt, ttt, ttt. Tda tda. Fluit.

Composition et mise en page

CET OUVRAGE
A ÉTÉ ACHEVÉ D'IMPRIMER
SUR ROTO-PAGE
PAR L'IMPRIMERIE FLOCH
À MAYENNE EN FÉVRIER 2014

N° d'édition : L.01ELJN000492.N001. N° d'impression : 86394
Dépôt légal : mars 2014
Imprimé en France